Anne Adler

Le Chocolat

Graphisme et infographie : Marjolaine Pageau

Cet ouvrage est basé sur un ouvrage
précédemment publié chez Les Éditions Quebecor :
Anne Adler. *Les voluptés du chocolat*, 1999

Imprimé en Chine
ISBN : 978-2-89638-640-6

Anne Adler

Le Chocolat

Les Éditions
Coup d'œil

« Le chocolat est très convenable aux personnes qui se livrent à une grande contention de l'esprit, aux travaux de la chaire ou du barreau et surtout aux voyageurs... Tout homme qui aura passé à travailler une portion notable du temps qu'on doit passer à dormir. Tout homme d'esprit qui se sentira temporairement devenu bête. Tout homme qui trouvera l'air humide, le temps long et l'atmosphère difficile à supporter... Que tous ceux-là s'administrent un bon demi-litre de chocolat ambré que je nomme chocolat des affligés, et ils verront merveille. »

— Anthelme Brillat-Savarin
***La physiologie du goût*, 1826**

Le petit pain au chocolat

(Air connu)

Tous les matins il achetait son p'tit pain au chocolat,
ay, ay, ay ,ay ay,
La boulangère lui souriait, il ne la regardait pas,
ay, ay, ay, ay, ay,
Et pourtant, elle était belle,
Les clients ne voyaient qu'elle,
Il faut dire qu'elle était vraiment très croustillante
Autant que ses croissants,
Et elle rêvait mélancolique, le soir dans sa boutique
À ce jeune homme distant.
Il était myope voilà tout, mais elle ne le savait pas,
ay, ay, ay, ay, ay,
Il vivait dans un monde flou où les nuages volaient pas,
ay, ay, ay, ay, ay,
Il ne voyait pas qu'elle était belle,
Ne savait pas qu'elle était celle,
Que le destin lui envoyait à l'aveuglette,
Pour faire son bonheur, et la fille qui n'était pas bête,
Acheta des lunettes à l'élu de son cœur.
Dans l'odeur chaude des galettes et des baguettes et des babas,
ay, ay, ay, ay, ay,
Dans la boulangerie en fête, un soir on les maria,
ay, ay, ay, ay, ay,
Toute en blanc qu'elle était belle, les clients ne voyaient qu'elle,
Et de leur union sont nés des tas des petits gosses,
Myopes comme papa gambadant parmi les brioches,
Se remplissant les poches,
De p'tits pains au chocolat,
Et pourtant elle était belle, les clients ne voyaient qu'elle,
Et quand on y pense, la vie est très bien faite,
Il suffit de si peu, d'une simple paire de lunettes,
Pour accrocher deux êtres, et pour qu'ils soient heureux.

Table des matières

Table des matières

Introduction

Gourmandise irrésistible pour le palais, douceur voluptueuse pour les sens, péché mignon pour la dent sucrée occasionnelle et jouissance gustative pour l'accro insatiable, le chocolat laisse rarement indifférent. La seule vue d'une confiserie fine, d'un gâteau onctueusement enveloppé ou d'une pâtisserie finement aromatisée suffit parfois à déclencher une inondation salivaire et provoque l'envie pressante de s'en mettre plein la bouche! Un supplice à la limite du supportable pour les malheureux à qui le velours brunâtre est interdit!

Mais pourquoi le chocolat suscite-t-il un désir si vif? Pourquoi y a-t-il tant de chocomaniaques inconditionnels? Pourquoi ce goût de «revenez-y» indéfinissable? Pourquoi aime-t-on tant offrir et recevoir du chocolat? Facile et difficile à expliquer en même temps... La saveur, les sensations, la texture et la forme de la présentation sont très certainement des incitateurs de premier ordre.

Mais on peut comprendre encore mieux l'attachement fidèle de notre affection gustative envers le chocolat – et ses dérivés – lorsqu'on sillonne d'abord les us et coutumes alimentaires des hommes, depuis les Mayas en passant par la conquête espagnole jusqu'à aujourd'hui. L'engouement pour le chocolat ne date pas d'hier et les significations qu'on lui a accolées sont multiples: représentation divine, synonyme de richesse, liqueur aphrodisiaque indispensable aux souverains polygames, etc.

Secrets et vertus

Il est aussi permis de trouver divers éléments de réponse à ces questions quand on prend connaissance des différents processus de transformation auxquels on soumet le ıcao, matière principale nécessaire à la fabrication du ıocolat, et qu'on découvre les mariages possibles avec ıantité d'aliments et d'essences tous plus délectables s uns que les autres. Mais c'est lorsqu'on s'attarde à composition même du cacao qu'on peut véritable-ent saisir l'impact de ses effets caractéristiques sur ırganisme humain. De récentes études font d'ailleurs at de constatations fort étonnantes quant aux vertus érapeutiques – car elles sont indéniables – du chocolat ɔntenant un minimum de 70 % de cacao. Jugé comme ant responsable de plusieurs problèmes de santé, à rt dans certains cas, le chocolat voit donc sa mauvaise putation se bonifier.

aison de plus pour les amateurs invétérés de se réjouir… ais avec modération s'il vous plaît !

ais, reconnaissons-le, l'industrie chocolatière ne s'est mais faite aussi séduisante. Les chocolateries artisanales ıt désormais la cote auprès des amoureux du chocolat ɔnt les goûts se raffinent. Le chocolat noir, les truffes, s pralines et les pâtisseries figurent parmi les denrées ıes les plus recherchées et les plus appréciées. On ne contente plus seulement des friandises chocolatées fertes au dépanneur ou à l'épicerie du coin.

que penser des résultats de sondages qui révèlent ıe plus de la moitié des Nord-Américains préfèrent le ıocolat au sexe ?!? De quoi rester pantois !

ourmands, gourmets, épicuriens et jouisseurs de la ıpille, à vos marques, prêts, croquez !

Chapitre 1

Les origines du chocolat

Légendes, mythes et approximations s'enchevêtrent prodigieusement dans les premiers soubresauts de l'histoire du chocolat, ce qui la rend encore plus palpitante et mystérieuse...

Empreintes mythiques

Lorsqu'on explore le parcours historique de la précieuse denrée et que l'on remonte à sa source, on constate qu'il est hasardeux d'affirmer avec conviction l'époque embryonnaire exacte du chocolat. Selon les publications, le moment de la découverte du cacao varie ; on estime qu'elle remonterait aussi loin qu'au XXe siècle avant notre ère. Rien n'est moins certain. Mais une chose est sûre cependant, un vase datant du VIe siècle trouvé au Guatemala en 1984, témoigne de l'existence lointaine de la boisson de cacao. Les dessins figuratifs qui décorent l'objet illustrent explicitement la symbolique maya du chocolat et les dépôts poudreux que l'on a retrouvés à l'intérieur attestent sans l'ombre d'un doute de l'utilisation qu'on en faisait déjà à cette époque.

Les Mayas, qui occupaient un territoire situé entre le nord du Mexique et la frontière centre-américaine, ont été les premiers à s'intéresser aux fèves du cacaoyer (*cacahuaquahuitl* dans la langue aztèque), qu'ils appelaient d'ailleurs l'Arbre de vie. En effet, les Mayas avaient des considérations divines envers le cacaoyer, dont le nom grec *theobroma* signifie nourriture des dieux. Ils savaient comment transformer la poudre obtenue de la fève en boisson qu'ils servaient lors des rituels importants.

Les Toltèques, peuple indien établi au Mexique du Xe au XIIe siècle dans la ville capitale de Tula, vouaient également un culte particulier au cacaoyer. Le roi Quetzalcóatl, qui régnait avec une pureté de cœur hors du commun sur cette nation florissante, avait fait don à ses sujets de cet arbre et leur avait appris comment le cultiver. À ce moment du récit, deux versions différentes apparaissent. L'une raconte que l'admiration dont Quetzalcóatl était l'objet le poussa à agir orgueilleusement : il voulut devenir immortel ; l'autre prétend que le roi devint gravement malade. Quoi qu'il en soit, que cela fût pour se donner la vie éternelle ou pour se guérir, Quetzalcóatl sollicita l'aide du sorcier Tezcatlipoca. Ce dernier, aveuglé par la jalousie, concocta une potion qui fit sombrer l'empereur dans une folie irréparable. Désespéré, Quetzalcóatl prit la mer sur un radeau de fortune fabriqué avec des serpents entremêlés. À mesure qu'il s'éloignait de la rive, il annonça des années de malheur à son peuple et prédit son retour subséquent.

Malgré le temps qui passa, les Aztèques, civilisation qui succéda aux Toltèques du XIIe au XVIe siècle, continuèrent à éprouver de la reconnaissance envers le souverain toltèque et à vénérer celui qui avait fait cadeau du cacaoyer aux hommes. Il devint une divinité que l'on représenta sous forme de serpent à plumes.

Quand le bateau de l'Espagnol Hernán Cortés accosta sur la côte mexicaine le 21 avril 1519, l'empereur Moctezuma – qui idolâtrait Quetzalcóatl et qui, dit-on, a été le plus grand buveur de chocolat de toute l'histoire puisqu'il pouvait en consommer jusqu'à cinquante tasses quotidiennement –, crut que son roi de jadis était enfin de retour et l'accueillit chaleureusement. Il offrit au conquistador une boisson chocolatée qui ne le séduisit pas autant que la richesse du récipient doré et massif le contenant. Cortés ne tarda pas à sentir la bonne affaire et profita du quiproquo causé par la coïncidence prophétique pour conquérir le territoire et s'emparer de ses richesses grâce à la naïveté de Moctezuma ; la civilisation aztèque ne put résister longtemps, céda sous l'emprise espagnole et disparut.

Significations et utilisations variées

Avec des origines aussi énigmatiques, il n'est pas surprenant d'apprendre qu'on ait attribué au cacaoyer ainsi qu'à ses produits dérivés des valeurs métaphoriques, symboliques et pratiques.

Les Toltèques, par exemple, associaient le cacaoyer au sang à cause de la couleur qu'arborent les fèves. Et plus précisément au sang d'une princesse qui avait été assassinée et qui avait enduré moult souffrances avant de rendre l'âme. Le goût amer des fèves serait d'ailleurs le porteur et l'essence même de ses douleurs atroces.

Les Bribris considéraient le cacao comme une source de fertilité. Il servait d'élément transitoire entre la nature et les hommes, entre le ciel et la terre. Pour que les dieux rendent la terre féconde et les récoltes abondantes, les gens de ce peuple obéissaient à un rituel au cours duquel ils sacrifiaient, chaque année, un chien ayant un pelage de la couleur du cacao.

Les Mayas, quant à eux, ont institué un système monétaire ayant la fève de cacao séchée comme base unitaire ; ils pouvaient les utiliser pour s'acheter des biens ou payer leurs impôts : un lapin coûtait dix fèves, les services d'une prostituée douze fèves alors que le prix d'un esclave était estimé à cent fèves. Cette référence comptable a révolutionné la façon de faire le commerce en permettant des transactions autres que celles contractées par le troc entre les habitants des nombreuses peuplades ayant adopté cette monnaie d'échange.

La mesure étalon était la carga qui équivalait à la charge pondérale maximale qu'un homme pouvait transporter sur son dos, c'est-à-dire une trentaine de kilos (un peu plus d'une soixantaine de livres) ou vingt-quatre mille fèves.

Ainsi, les tribus payaient leurs impôts en nombre de cargas selon leur importance. À titre d'exemple, certaines provinces devaient verser mille six cents cargas (près de cinquante-trois tonnes) alors que d'autres pouvaient donner jusqu'au double (soit trois mille cargas ou cent tonnes) par an à leur souverain.

Nourriture des dieux

Considérée comme la nourriture des dieux, la boisson fabriquée à partir de la fève fermentée, grillée, écrasée, mélangée à des épices et diluée dans l'eau n'était pas accessible à tous. Seul le roi avait le privilège de déguster le chocolat pur dans un gobelet en or gravé d'écailles de tortue, et il en buvait tous les jours. Des propos recueillis dans *l'Histoire véridique de la conquête de la Nouvelle-Espagne*, écrite par Bernal Díaz del Castillo et publiée en 1532, rapportent ainsi le déroulement du dîner de l'empereur: *Il s'asseyait sur un siège bas, riche et douillet; la table était basse aussi et travaillée comme les sièges; on étendait par-dessus des nappes blanches et quelques petites serviettes allongées faites de la même toile. Quatre femmes lui apportaient des lavabos (...) Au moment où il commençait son repas, on mettait devant lui une espèce de paravent orné de dorures afin qu'on ne pût le voir manger (...) De temps en temps, on lui apportait des tasses d'or très fin, contenant une boisson fabriquée avec du cacao; on disait qu'elle avait des vertus aphrodisiaques (...) Ce que je vis réellement, c'est qu'on servit environ cinquante grands pots d'une boisson faite de cacao avec beaucoup d'écume.*

Les gens des régions productrices, eux, en rehaussaient simplement leur plat de maïs cuit. Ils concoctaient une espèce de pot-au-feu épais en y incorporant un mélange de fèves de cacao bouilli avec de la vanille, du miel et du piment, battu au fouet pour le faire mousser et pour faire apparaître les matières grasses à la surface afin de les rejeter. Lorsqu'ils leur arrivaient de boire la boisson diluée, celle-ci était le plus souvent consommée dans des contenants faits avec des écailles de tortue.

Les guérisseurs et les médecins mayas et aztèques ont également découvert des propriétés médicinales au cacao. Ils savaient l'utiliser adéquatement contre la fatigue et la diarrhée. Ils connaissaient aussi les particularités hydratantes du beurre de cacao (qu'ils obtenaient après de nébuleuses étapes de transformation). Cette substance faisait partie intégrante de baumes cicatrisants contre les gerçures, les plaies superficielles, les brûlures et les morsures de serpent.

À cet égard, un chapitre entier sera consacré sur les vertus médicinales du cacao. Les dernières découvertes faites à ce sujet valent la peine qu'on y pose un regard attentif et permettent de renouer avec le savoir des anciennes civilisations.

Un peu d'étymologie

Les termes «cacao» et «chocolat» trouvent leurs racines dans des expressions aztèques et mayas. Le mot «cacao» dérive de l'aztèque *cacahuatl*, qui définit la substance produite par les fèves. Le fruit du cacaoyer que l'on appelle maintenant «cabosse», se disait *cacahuacintli*. Le mot «cabosse» nous vient plutôt de l'espagnol *cabeza*, qui veut dire «tête». En effet, les conquérants hispaniques voyaient une forte ressemblance entre le fruit du cacaoyer et la forme de la tête plus longue que large des indigènes.

Le mot «chocolat» provient du mot maya *xocoatl*, ou plutôt de sa transcription phonétique, dont la prononciation correspond à *tchocoatl*. Thomas Gage, un dominicain anglais ayant vécu au XVIIe siècle et ayant dédié une large part de son ouvrage *Nouvelle relation des Indes occidentales* au chocolat, a proposé une hypothèse sur l'origine étymologique de ce terme qui en a fait sourire plus d'un, mais qui n'est toutefois pas dénuée de bon sens. En effet, celui-ci expliquait la formation du mot par la fusion des mots contractés *atl*, signifiant «eau» et *tchoco*, onomatopée qui reproduit le son entendu lors de l'exécution du moussage de la boisson (obtenue par le battage de la poudre de cacao dans l'eau).

Cela dit, c'est dans le *Dictionnaire français* publié en 1680 par le lexicographe parisien, Pierre Richelet, que le mot « chocolat » a fait son apparition officielle dans la langue française.

Les premières méthodes de transformation

Mise à part la contribution du savoir divin de Quetzalcóatl, on pense que les hommes se sont intéressés à la consommation des fèves du cacaoyer en voyant des singes et d'autres petites bêtes sucer la pulpe qui les relie au cœur de la cabosse.

Le goût rafraîchissant et acidulé de cette peau a probablement poussé leur curiosité vers les fèves contenues dans le gros fruit.

On sait que les Aztèques brisaient les écailles de la cabosse sur une pierre plate, appelée matate (*metate* en espagnol), à l'aide d'un mortier constitué de bois et de fer, et légèrement chauffé.

Débarrassées de leur enveloppe, les fèves étaient ensuite grillées et concassées – le plus souvent mélangées avec des épices comme le poivre, le piment ou l'achiote (graines d'un arbrisseau, appelé rocouyer, donnant un aspect rougeâtre au liquide) pour aromatiser la future pâte de cacao –, puis passées au tamis.

C'est lors de la conquête espagnole que les nouveaux arrivants sur le continent américain ont eu l'idée de modifier la recette aztèque pour adoucir la saveur amère et fortement épicée qui avait prévalu jusque-là. Les Espagnols se sont mis à apprécier davantage le chocolat et à entrevoir peu à peu la culture du cacaoyer comme une activité économique leur permettant de s'enrichir.

Chapitre 2

La petite histoire du chocolat

Le navigateur et découvreur d'origine italienne, Christophe Colomb, fut le premier Européen à goûter la boisson que les Amérindiens tiraient des fèves du cacaoyer. Le 30 juillet 1502 (soit quatre ans avant sa mort), lors de son quatrième et dernier voyage dans le Nouveau Monde, Colomb jeta l'ancre de la Santa Maria aux abords de l'île de Guanaja, à quelques lieues du Honduras et fit la découverte de l'aliment qui conquit les papilles des Occidentaux quelques décennies plus tard. Un extrait de son journal de bord raconte l'événement: *Un grand bateau indigène de vingt-cinq rameurs vint à notre rencontre, leur chef abrité sous un toit nous offrit des tissus, de beaux objets de cuivre et des amandes qui leur servent de monnaie et avec lesquelles ils préparent une boisson.* Le chef s'était empressé de montrer au Génois comment apprêter les fèves en boisson, mais celui-ci n'en apprécia pas la teneur amère et épicée. Trop absorbé qu'il était par la route des Indes, Colomb n'accorda donc pas d'importance à ces fèves qu'il rapporta tout de même au roi Ferdinand II.

Dix-sept années passèrent avant que l'Espagnol Hernán Cortés n'accoste à son tour sur la côte centraméricaine. Le 21 avril 1519, sa flotte composée de onze navires et de quelque six cents hommes atteignit la côte de Tabasco, à l'ouest du Yucatan. À la vue de ces bâtiments navals, Moctezuma envoya des émissaires pour s'enquérir de l'origine de ces vaisseaux et de la raison de leur venue. Impressionnés par la cuirasse et le visage barbu à la peau blanche de Cortés, les messagers de Moctezuma l'accueillirent amicalement. Le conquérant espagnol, lui, fut davantage ébloui par les bijoux, les apparats brillants et précieux, de même que par les dorures resplendissantes de ses hôtes. Cortés comprit immédiatement que cette terre nouvelle renfermait des richesses de grande valeur dont il lui fallait s'approprier tous les secrets et se résolut à entreprendre l'assujettissement de ce peuple par les armes. Les indigènes, impuissants devant la force rutilante des canons, ne purent résister et capitulèrent. Moctezuma interpréta la puissance de Cortés comme étant le retour incontestable du dieu Quetzalcóatl et la réalisation de sa prophétie, et céda son trône en ces termes : *Vous aurez ici tout ce qui vous est nécessaire, puisque vous êtes chez vous, dans votre pays natal.*

Le conquistador n'aurait pas pu imaginer stratagème plus ingénieux et se garda bien de détromper Moctezuma qui lui offrit sans résistance pierres précieuses, or, ainsi que les revenus d'une immense plantation de cacaoyers. Le roi déchu lui fit partager aussi la « nourriture des dieux » dans un gobelet en or massif ; il n'en fallut pas plus pour attiser la soif de pouvoir du guerrier espagnol. Une fois bien installé dans le palais royal, Cortés se servit ensuite de sa puissance incontestée pour instaurer la domination espagnole et la faire régner.

Du coup, il avait saisi l'importance du rôle que cet arbre tant vénéré par le peuple indigène jouerait dans l'enrichissement et le rayonnement de son empire. Dans une lettre envoyée à l'empereur Charles Quint, Cortés parle du cacao : ... *qui est un fruit comme des amandes que les indigènes vendent moulu. Ils les tiennent en si grande valeur qu'elles sont traitées comme monnaie dans toute leur terre et leur servent à acheter toute chose nécessaire.*

Les Espagnols mirent toutefois un certain temps avant d'apprécier le chocolat des Aztèques.

En fait, ce n'est qu'après avoir touché le fond de leurs réserves de vin et atteint un taux de saturation proche de l'écœurement par rapport à l'eau, qu'ils essayèrent de modifier la boisson chocolatée. On doit à des religieuses d'Oaxaca l'idée d'avoir remplacé les épices par du sucre de canne, de la fleur d'oranger et de la vanille, créant ainsi un breuvage fort acceptable et estimé. En plus de rassasier et de rafraîchir le corps, le chocolat évitait les inconvénients de l'enivrement.

Café et… chocolat !

En 1528, Hernán Cortés rentra en Espagne les cales de ses caravelles remplies d'or et de sacs de fèves de cacao provenant de sa plantation. Il n'oublia pas d'emporter avec lui les outils nécessaires à la transformation du chocolat, dont il connaissait les rouages grâce aux Aztèques. Cinquante ans plus tard, la première chocolaterie artisanale vit le jour. L'éclosion de cette nouvelle activité commerciale fit en sorte que l'Espagne se mit à considérer les fèves de cacao comme une denrée suffisamment intéressante pour en importer sur une base régulière.

En cette fin de XVIe siècle, les Flandres (Belgique et Pays-Bas d'aujourd'hui), qui faisaient partie intégrante de l'empire espagnol, découvrirent elles aussi la boisson chocolatée.

Les nobles de la cour d'Espagne et les aristocrates s'entichèrent rapidement de ce liquide qu'ils aimaient boire épais et mousseux, à tel point qu'ils imposèrent d'extravagantes taxes afin d'en restreindre l'accessibilité au peuple.

Madrid devint donc la plaque tournante, la porte d'entrée par laquelle le chocolat allait se propager dans toute l'Europe. La traînée de poudre débuta avec le marchand florentin Antonio Carletti qui rapporta le cacao dans son Italie natale, en 1606. Les chocolatiers italiens (*cioccolatieri*) acquirent une grande réputation dans l'art d'apprêter le cacao.

L'entrée officieuse du chocolat en France remonterait aux alentours de 1609 et serait attribuable à des juifs. Sachant manier le moulinet à cacao et voulant échapper aux affres de l'Inquisition, ces derniers seraient venus s'instal ler à Bayonne, dans le pays basque. Ces chocolatiers, dit-on, allaient directement chez les gens et leur préparaient le chocolat sur place.

La percée française officielle du chocolat se produisit en 1615. Anne d'Autriche, jeune princesse espagnole, âgée de seulement quatorze ans, épousa Louis XIII et traversa les Pyrénées pour aller vivre en France. Passionnée de chocolat, Anne amena avec elle ses fidèles servantes qui connaissaient les secrets de la fabrication de la délectable boisson. Son époux fut littéralement charmé, sa cour aussi. Le cardinal de Lyon, Alphonse Richelieu, était du nombre des quelques favoris fréquentant la cour qui consommait le délice chocolaté avec avidité, car, affirmait-il, cela soulageait sa rate et calmait ses accès de colère.

Les Hollandais, ces navigateurs infatigables, acheminèrent en ce début de XVIIe siècle l'arbre divinisé par les Aztèques en Asie. Des plantations prirent forme à Java et à Sumatra. Par la suite, le cacaoyer atteignit les autres îles de l'Indonésie ainsi que la Malaisie.

Sur le Vieux Continent, l'Autriche et l'Allemagne découvrirent le chocolat par l'entremise de deux hommes de science qui en avaient rapporté d'Italie. Toutefois, ce furent des moines reconnaissant le goût agréable de la boisson qui en permirent la propagation dans les deux pays respectifs autour de 1640.

Et des plantations !

L'enthousiasme de tous ces nouveaux adeptes fit augmenter la demande. Les premières plantations antillaises de cacaoyers se développèrent donc autour de 1650, à Saint-Domingue et en Jamaïque.

C'est une autre princesse espagnole qui, en 1660, favorisa l'entrée du chocolat dans d'autres milieux que celui de la cour royale. Marie-Thérèse d'Autriche, épouse de Louis XIV, aimait tant le chocolat qu'on écrivit à son sujet que ses deux grandes et uniques passions étaient le roi et le chocolat. Imaginez, oser comparer Sa Majesté avec du chocolat ! (On raconte que la pauvre reine délaissée et solitaire trouvait le réconfort dont elle avait besoin dans une tasse de chocolat. On prétend même qu'elle aurait enfanté une petite fille au teint un peu trop foncé et on tiendrait son amour excessif de la boisson brune pour responsable...). Telle une contagion, cet engouement de la reine créa donc un débordement de la consommation de chocolat et se transmit jusque dans les grands salons de la haute société.

La même année, David Chaillou, le premier chocolatier de France, se vit accorder par lettre patente le privilège royal de fabrication et de vente exclusives « d'une certaine composition que l'on nomme chocolat », et ce, pour une période de vingt-neuf ans.

Pour assouvir leurs besoins grandissants, les Français se mirent donc à exploiter à leur tour des plantations de cacaoyers dans leur colonie martiniquaise, au grand dam des esclaves africains qui firent les frais de cette grande industrie en plein devenir. (D'ailleurs, l'habitude de sucrer le chocolat provoqua également de plus grands besoins en sucre, ce qui élargit les rangs des esclaves ;

la culture de la canne à sucre découlant, elle aussi, du labeur des esclaves.)

En Angleterre, à la même époque, un Français faisait découvrir la boisson chocolatée et la vendait à un prix très abordable. Les débuts de la consommation du chocolat y furent davantage populaciers qu'aristocratiques. Les *chocolate houses* évoluèrent donc à l'instar des *coffee houses*, déjà en foisonnement, à la différence qu'ils devinrent plutôt des lieux de rassemblement fréquentés par toutes les classes de la société et qu'ils n'étaient pas réservés qu'aux hommes.

Vers 1650, on commença à incorporer du lait dans la préparation du chocolat. Quelque temps après, on essaya de varier les formules en y ajoutant un jaune d'œuf ou du vin de madère. En 1674, on put enfin déguster pour la première fois du chocolat à croquer. Sous forme de boudins ou de pastilles, l'aliment était alors disponible dans un établissement londonien, le *Coffee Mill and Tobacco Roll*. Le succès fut immédiat ! C'est à partir de cette période que le chocolat perdit son auréole médicinale et fut davantage considéré comme une gourmandise. L'époque du « breuvage indien » caractérisé par l'amertume de son goût était définitivement révolue.

En 1687, la première chocolaterie française eut pignon sur rue à Bayonne.

En cette fin de XVIIe siècle, les compagnies navales hollandaises damaient le pion aux flottes espagnoles en effectuant la presque totalité du transport des fèves de cacao vers l'Europe. Les religieux et les religieuses passèrent les rênes de la fabrication du chocolat aux fabricants artisanaux. Le domaine allait connaître un nouveau tournant grâce au progrès technique.

Le XVIIIe siècle ouvrit la voie à l'industrialisation.

En 1728, un fabricant anglais se munit d'une presse activée par l'énergie hydraulique. Toutefois, il fallut attendre encore cinquante ans avant que le système ne fût véritablement au point.

En 1732, le travail des ouvriers-artisans fut grandement amélioré grâce au génie d'un Français nommé Du Buisson. Ce dernier conçut une table haute disposée à l'horizontal et chauffée au charbon de bois. Cette invention facilita énormément la tâche du travailleur attitré au broyage des fèves, puisque celui-ci pouvait enfin effectuer sa besogne tout en restant debout (au lieu de travailler en position recourbée, au niveau du sol). Il va sans dire que son rendement s'en trouva considérablement amélioré.

Produit de luxe coûteux, le chocolat fit l'objet de contrefaçon. Vers 1740, des fabricants attisés par l'appât du gain n'hésitèrent pas à altérer la qualité de leur produit en diluant ou en remplaçant systématiquement certaines substances qui entraient dans leur composition.

En 1750, les Suisses découvrirent enfin le chocolat par l'intermédiaire des chocolatiers italiens qui vendaient leurs produits dans les marchés. Ils ne se doutaient pas encore de l'importance de l'impact commercial que cette découverte allait avoir dans leur pays ni de la renommée qu'ils se mériteraient grâce à cet aliment.

C'est également vers le mitan de ce siècle que L'Équateur, le Brésil et Trinidad joignirent les rangs des pays producteurs de cacao.

Le chocolat arriva aux États-Unis en 1765, lorsque John Hanan rapporta à Dorchester, au Massachusetts, des fèves de cacao en provenance des Antilles au docteur James Baker. La première chocolaterie américaine fut érigée à cet endroit par cet homme afin de fabriquer ses « médicaments ». Mais les Américains mirent du temps avant d'accepter ce nouveau produit. Ce n'est que lorsque les pêcheurs de la région acceptèrent de se faire payer en fèves de cacao qu'ils s'y intéressèrent vraiment.

La décennie 1770-1780 vit éclore les premiers fleurons des entreprises chocolatières de grande production : l'illustre Compagnie française des Chocolats et des Thés Pelletier & Cie ainsi que la Chocolaterie royale Le Grand d'Aussy donnèrent le coup d'envoi industriel. Pour leur emboîter le pas, les commerçants commencèrent à utiliser des tactiques de marketing afin d'informer le public sur leurs produits et de faire grimper leurs ventes; un marchand français du nom de Roussel fut le premier à faire publier une publicité, en 1776, dans le *Mercure de France*, qui insistait sur la nécessité de griffer toute marchandise du nom du fabricant et de sa demeure pour faire foi de la meilleure qualité au consommateur.

La technologie gagna de plus en plus de terrain en parvenant enfin à se servir de l'énergie hydraulique et de la force motrice de la machine à vapeur. En 1778, un certain Doret crée un appareil hydraulique capable de broyer la pâte de cacao et de mélanger le sucre.

Quant aux chocolateries de Bayonne, berceau du domaine chocolatier en France, elles se dotèrent de machines à vapeur aux alentours de 1780. Ces nouveaux équipements révolutionnaires firent exploser les capacités de production tout en réduisant les coûts et entraînèrent dans un même souffle le développement de nombreuses entreprises. Pendant ce temps, à Versailles, la reine Marie-Antoinette institua la noble profession de «chocolatier de la reine». Pour répondre aux goûts particuliers de sa souveraine, celui-ci devait lui inventer des recettes multiples.

Et de une!

En 1792, la première chocolaterie ouvrit ses portes en Suisse, dans la ville de Berne.

Le tournant du siècle amena son lot de difficultés et ralentit l'effervescence économique. La Révolution française, la conquête napoléonienne, les guerres d'indépendance dans le Nouveau Monde détournèrent les préoccupations et démobilisèrent les populations. Le Blocus continental (1806-1810) imposé par Napoléon, lui-même grand consommateur de chocolat, empêcha l'importation des denrées en provenance des colonies qui dégénéra en pénurie. La flambée des prix menotta le pouvoir d'achat des clients, et de nombreux chocolatiers firent faillite.

Pour survivre, certains fabricants moins scrupuleux fraudèrent à qui mieux mieux en falsifiant les recettes ; la qualité des substances utilisées étant plus que douteuse !

Malgré ces années de latence, l'engouement pour le chocolat ne s'était pas estompé. Dès que la paix sociale se réinstalla, l'industrie chocolatière repartit de plus belle.

En 1815, le Hollandais Johannes Van Houten ouvrit sa fabrique de chocolat à Amsterdam et fut le précurseur d'une nouvelle ère technique dans le domaine de l'industrie chocolatière. Dix ans plus tard, à force d'ingéniosité et de patience, il inventa une presse hydraulique ayant la capacité d'extraire les matières grasses que les gens du métier appellent le « beurre » de cacao. Le résidu débarrassé de sa texture huileuse (le tourteau) se prête alors merveilleusement bien à sa transformation en poudre légère. (En 1828, Van Houten déposa un brevet pour son chocolat en poudre.) Il ne tarda pas ensuite à trouver la façon de rendre cette poudre encore plus facilement soluble. Il mit au point le *dutching*, un procédé qui consiste à insérer des sels alcalins dans la pâte de cacao avant le broyage. Ce processus d'alcalinisation réduit les caractéristiques amères. Le chocolat chaud instantané était né, et la boîte jaune de Cacao Van Houten se retrouva rapidement sur toutes les tables au moment du petit déjeuner, pour le plus grand plaisir des enfants.

Business et contrefaçon !

Ce fut également le début de l'époque des chocolateries industrielles de renom : les Français Barry (1842), Menier et Poulain (1847), les Suisses Suchard (1826) et Kohler (qui conçut les techniques de moulage et qui eut l'idée d'incorporer des noisettes dans le chocolat, 1831), et l'Anglais Cadbury (1831), qui est encore aujourd'hui la première industrie de confiserie en Grande-Bretagne.

À travers ce tumulte économique vigoureux, l'Afrique accueille ses premiers plants de cacaoyers, en 1828, et se taille une place au sein des pays producteurs.

Date mémorable à retenir pour les inconditionnels du chocolat en tablette : la compagnie Fry, de Bristol, en Angleterre, moule la première tablette de chocolat en 1847.

En 1875, le Suisse Daniel Peter créa enfin le chocolat au lait en adaptant le procédé de condensation du lait, découvert par le chimiste Henri Nestlé quelque temps auparavant. Son compatriote Rodolphe Lindt instaura le chocolat de couverture et, en 1879, il élabora un procédé, appelé conchage, qui permettait de venir à bout des toutes les particules grossières de cacao ayant résisté au processus de transformation. L'obtention d'une pâte fine et onctueuse le mit sur la route du chocolat fondant.

Les consommateurs du continent nord-américain commencèrent alors à entendre parler de Milton Hershey qui remplaça le lait frais entier par du lait condensé : la barre Hershey naquit ce jour-là.

Pour mettre un frein à la contrefaçon, un décret déposé en 1910, obligea désormais les fabricants de chocolat à identifier clairement les ingrédients de leurs produits.

C'est au Belge Jean Neuhaus que l'on doit la praline. En 1912, il mit au point la recette de ce péché fondant merveilleuse

En ce début du XXe siècle (en 1920 plus précisément), un premier Américain entra dans le paysage de la confiserie chocolatée : il s'agit de Frank Mars. La célèbre barre de nougat et de caramel enrobée d'une épaisse couche de chocolat se trouve encore de nos jours à la tête du peloton des meilleurs vendeurs du monde entier.

Les chocolats alcoolisés firent ensuite leur apparition en Europe.

Le Club des croqueurs de chocolat (CCC), dont l'auteure estimée Jeanne Bourin compte parmi les très sélectes membres, fut mis sur pied en 1980, à Paris.

Une histoire d'espionnage éclata au grand jour et commotionna le milieu chocolatier: un apprenti travaillant pour la compagnie suisse Suchard-Tobler avait tenté infructueusement de vendre le secret des recettes de chocolat à la Russie, à la Chine, à l'Arabie Saoudite ainsi qu'à d'autres pays.

La Grande Fête du Chocolat a vu le jour en 1992 et se tient en France annuellement le deuxième samedi du mois d'octobre.

En 1995, le coup d'envoi du Salon du chocolat est donné. L'événement parisien a lieu tous les ans au mois d'octobre également.

La saga du chocolat ne s'arrêtera certainement pas là, car le troisième millénaire nous réserve probablement encore d'innombrables surprises. À nous d'en profiter!

Chapitre 3

Le cacaoyer et sa culture

Parce que le cacaoyer était l'arbre sacré qui leur donnait la nourriture des dieux, les indigènes le vénéraient, et les différentes étapes de la culture étaient ponctuées de rites caractéristiques sollicitant la bienveillance et la protection divines.

À l'ensemencement, les Aztèques effectuaient un triage méticuleux et ne conservaient que les meilleurs grains. Ceux-ci étaient exposés durant quatre nuits au clair de lune avant leur mise en terre. Quant aux hommes désignés à l'ensemencement, ils se devaient d'être chastes et, pour cela, ils vivaient à l'écart de leurs épouses pendant treize jours. Les « ensemenceurs » ne revenaient que la veille du jour des semailles. Là, ils pouvaient enfin exprimer leurs désirs amoureux et libérer l'énergie reproductrice dont ils seraient encore fraîchement empreints le lendemain pour planter les graines de cacaoyer.

La fin de la récolte s'accompagnait aussi d'un rite particulier : une effigie divine était hissée au sommet d'un mât, où se trouvait un cadre pivotant. Des hommes y montaient, se nouaient une corde autour d'une cheville et se jetaient tête première dans le vide. Ils planaient autour du poteau tels des oiseaux et descendaient doucement vers le sol sous les clameurs du peuple en réjouissance. Au pied du mât, quelques dizaines d'hommes au corps peint et portant des couvre-chefs de plumes colorées dansaient aux rythmes de musiques et de chants.

Aujourd'hui encore, en Équateur, il arrive qu'à la période de séchage, on effectue une danse spéciale au cours de laquelle les participants remuent les fèves en chantant afin qu'elles bénéficient au maximum de la chaleur du soleil.

Au Venezuela, un prêtre portant le saint sacrement marche entre des hommes arborant les traits du diable et étendus sur le sol où a eu lieu le séchage. Cette cérémonie se déroule le jour de la Fête-Dieu.

Dans certaines régions d'Amérique latine où des événements de la vie sont soulignés par des cadeaux traditionnels porteurs d'une symbolique divine (fiançailles, décès), on a encore recours aux échanges ou aux offrandes de fèves de cacao.

Une plante tropicale fragile

Arbre délicat, mais d'une grande beauté, le cacaoyer (*Theobroma cacao*) pousse dans une atmosphère chaude (25 à 30 °C) et humide, il a besoin de beaucoup d'eau, d'un sol profond, fertile

et bien drainé ; le doux climat tropical et équatorial est celui qui lui convient le mieux. Le cacaoyer est un arbre fragile qui a bien du mal à tolérer les variations marquantes de température ainsi que les rayons du soleil directs, c'est pourquoi, à l'état naturel, le cacaoyer croît en pleine forêt sous la protection des plus grands que lui. Les plantations ensemencées par les hommes sont, dans la majorité des cas, couronnées par d'autres sortes d'arbres (comme les bananiers, les palmiers, les manguiers) dont les larges feuilles servent d'ombrelles et de paravents au cacaoyer.

Il peut atteindre jusqu'à quinze mètres de hauteur, mais on le taille de manière à ce qu'il n'excède pas sept mètres. Ses feuilles sont de forme oblongue et d'un vert foncé. Les branches et le tronc sont couverts de fleurs durant toute l'année dont seulement quelques-unes produisent un fruit, appelé cabosse. Celle-ci renferme les fèves qui, après un long processus, se transformeront en cacao.

Les cacaoyers peuvent produire pendant une cinquantaine d'années.

Trois espèces

Il existe trois espèces de cacaoyer: le *criollo* («créole» en espagnol), le *forastero* («étranger» en espagnol) et le *trinitario* qui donnent des crus de cacao très caractéristiques selon les régions et les méthodes de culture pratiquées.

Le *criollo* est le descendant direct du cacaoyer que Quetzalcóatl avait offert en cadeau aux Mayas. Originaire du Mexique, il pousse principalement en Amérique centrale et du Sud, c'est-à-dire au

Venezuela, au Guatemala, en Colombie, au Nicaragua et dans les Antilles (îles de Trinidad, Grenade et Jamaïque). On en retrouve également quelques plants à Madagascar et en Indonésie. Les fèves rouges du *criollo* donnent le meilleur cacao, réputé pour sa très grande finesse et son arôme saisissant.

Toutefois, l'arbre a une santé plutôt frêle, et, malgré le zèle avec lequel on le traite, il n'offre qu'un très faible rendement – ne représentant que 5 % de la production mondiale. La rareté de ce cacao d'exception fait en sorte que les chocolatiers ne l'utilisent que très parcimonieusement pour ennoblir des mélanges plus ordinaires. Le Chuao, le Porcelana du Venezuela et le Sambrino de Madagascar comptent parmi les crus les plus éminents.

Provenant originellement des hauts plateaux amazoniens, le *forastero* est la variété la plus répandue sur la planète (il prédomine en Afrique) et fournit à lui seul plus de 80 % de la production mondiale. Sa robustesse et sa rapidité de croissance ne sont pas étrangères à cette performance extraordinaire. Ses fèves donnent un cacao dont le goût amer et l'arôme acide en font des crus qui ne se démarquent pas vraiment et qui sont plutôt utilisés dans la fabrication industrielle ou comme élément de base dans les assemblages. Une exception à la règle : la variété *amenolado*, cultivée en Équateur, donne un cacao des plus raffinés soit l'Arriba.

Finalement, le dernier-né, le *trinitario* est le résultat d'une hybridation entre le *criollo* et le forastero. Il a su tirer le meilleur des deux mondes, car il porte dans ses gènes la délicatesse aromatique du premier et la résistance du second. Malgré sa finesse, son cacao contient beaucoup de matières grasses. C'est sur l'île de Trinidad – d'où proviennent encore les meilleurs crus – que s'est produit le croisement naturel des deux espèces. Maintenant, on retrouve le *trinitario* en Amérique latine et dans des contrées aussi lointaines que l'Indonésie et le Sri Lanka. Les plantations de trinitarios fournissent entre 10 et 15 % de la production mondiale.

La culture du cacaoyer

La culture du cacaoyer s'apparente presque en tous points à celle du caféier. Il faut d'abord prendre le temps de semer les graines et de les laisser devenir un plant suffisamment fort, c'est pourquoi le cacaoyer passe les deux premières années de sa vie en pépinière. Puis, il est mis en terre à une distance de deux mètres et demi de son plus proche voisin. Après trois ans, il mesure déjà entre trois et cinq mètres. Ce n'est qu'au bout de sept ou huit ans que le cacaoyer arrive à maturité et commence à être productif. Pendant ces années de croissance, des soins méticuleux lui ont été prodigués : on l'a émondé pour limiter sa taille et pour éviter que les branches ne s'entremêlent, on l'a nettoyé et débarrassé de ses parties inutiles ou brisées, etc. Cet entretien attentif a un impact direct sur la qualité des fruits qu'il portera.

Des milliers de petites fleurs blanches légèrement teintées de rose et inodores (4 000 à 6 000) font alors leur apparition sur le tronc et les ramures de l'arbre, mais seulement une sur cent environ aura le privilège d'être fécondée par un insecte. En bout de ligne, le cacaoyer ne fournira que très peu de fruits : entre douze et vingt cabosses. Un arbre qui fournit vingt-cinq fruits annuellement est considéré comme un très bon producteur, ce qui représente, à la fin du processus de transformation, un peu plus d'un kilo de fèves propices à la consommation (il faut vingt cabosses pour produire un kilo de bonnes fèves). La forme de la cabosse fait penser à un petit ballon de football qui mesurerait entre 10 et 24 cm de long (4 et 10 po) et de 6 à 12 cm (2,5 à 5 po) de diamètre et qui pèserait entre 450 et 1 000 g

(1 à 2 lb), et à l'intérieur duquel se retrouvent variablement trente à soixante-dix fèves disposées en cinq rangées. Pendant son mûrissement, la cabosse passe progressivement du vert au jaune ou du rouge à l'orange. Même si la couleur est un excellent indicateur, les cueilleurs ne se fient pas uniquement à l'apparence du fruit pour savoir s'il est à point. Le bruit sourd produit au contact de leurs doigts sur l'écorce et le son évident des fèves qui se cognent entre elles dans le cœur de la cabosse leur confirme si celle-ci est bien mûre.

La récolte

Tous les pays producteurs font deux récoltes par année, les mois et la durée variant légèrement selon les conditions climatiques de chacun d'eux. De façon générale, on peut dire que les récoltes ont lieu d'octobre à janvier (récolte principale) et de mai à août (récolte intermédiaire et moins abondante que la précédente). Toutefois, certaines régions du globe très humides peuvent récolter durant toute l'année.

La cueillette exige un travail rigoureux de la part d'une main-d'œuvre abondante. Les fruits facilement accessibles doivent être détachés du cacaoyer à la main en tordant le pédoncule doucement. La récolte peut s'effectuer aussi à l'aide d'une machette, appelée fer à cacao, que les ramasseurs doivent manipuler avec délicatesse pour ne pas endommager fleurs et bourgeons qui donneront les prochains fruits, et pour ne pas taillader accidentellement l'arbre. Les cueilleurs atteignent les cabosses hors de portée à l'aide d'une longue perche munie, à son extrémité, d'une lame tranchante. Il n'est absolument pas question de grimper dans l'arbre ; le poids du grimpeur ferait des ravages regrettables. Les fruits sont déposés au fur et à mesure dans de grands paniers pour ensuite être acheminés vers le lieu où se fait l'écabossage manuel (en des endroits précis de la plantation, à l'ombre des cacaoyers) ou automatique (dans le bâtiment qui abrite la machine.

Chapitre 4

La transformation de la fève

Dans bon nombre de plantations, on procède à l'écabossage immédiat et manuel sur le terrain. Les cueilleurs déversent donc le contenu de leurs paniers aux emplacements où les fendeurs exécutent cette tâche. Ces derniers travaillent selon des techniques différentes, mais toujours avec doigté, afin de ne pas abîmer les fèves (la moindre petite encoche ou fissure devient une porte grande ouverte pour les insectes, les bactéries et les champignons). Certains écabosseurs travaillent donc avec un couteau ou une machette, d'autres penchent pour le bon vieux coup de frappe de la cabosse sur une pierre plate, alors que d'autres encore se servent d'un bout de bois pour faire céder la croûte du fruit. La cabosse est coupée dans la partie renflée en son centre (et non pas à partir des extrémités). Les graines apparaissent sous forme de grappes habillées d'un mucilage blanchâtre aigre-doux et collant. Les fèves qui ressemblent alors à de grosses amandes blanches sont ensuite prélevées avec les doigts et déposées dans de grands contenants (seaux, sacs de jute, paniers, etc.). Le poids de la charge détermine le salaire du travail des écabosseurs.

Dans certains pays d'Afrique, les écailles de cabosse sont récupérées et pulvérisées. La poudre obtenue peut servir à faire du vin ou du vinaigre de cacao.

La fermentation

Lorsqu'ils viennent d'être extraits de leur écorce, les grains à l'état brut ne ressemblent en rien à ces belles fèves brunes que l'on broie en poudre fine et ne contiennent pas un soupçon de la saveur chocolatée tant recherchée. Les fèves doivent donc être dépouillées de leur gaine muqueuse le plus rapidement possible, et la fermentation est le procédé idéal qui permet de réaliser cette opération sans avoir à utiliser de substance étrangère qui risquerait d'altérer la saveur et les arômes.

La fermentation consiste donc en une magistrale orchestration de réactions chimiques au cours desquelles la graine un peu mollasse perd ses propriétés germinatives et développe les cellules responsables de son parfum spécifique.

La façon de faire connaît quelques variantes selon les pays. On transporte donc les graines à l'endroit de la plantation où sont regroupés tous les accessoires et appareillages nécessaires aux opérations subséquentes de transformation.

Ainsi, les graines sont disposées en tas sur des feuilles de bananiers (que l'on revêt ensuite d'autres feuilles de bananiers) ou placées dans des coffres de bois, ou transvidées dans des paniers (également recouverts de feuilles) ou dans des plateaux superposés. Le mucilage réagit promptement aux micro-organismes présents dans l'air. Une chaleur, pouvant atteindre 40 à 45 °C, fait littéralement fondre la pulpe qui s'échappe sous forme de liquide – que certains producteurs recueillent pour en faire du vinaigre de cacao, de la confiture et des confiseries. La fermentation alcoolique est terminée. Les ouvriers doivent ensuite remuer les graines assidûment pour faire entrer l'oxygène et aider au détachement des morceaux de peau qui s'accrochent toujours ; la pulpe alcoolisée se transforme en vinaigre, la fermentation acétique commence.

Les fèves deviennent de plus en plus sensibles et se laissent pénétrer par la chaîne chimique réactive des nombreux éléments présents. Ainsi, elles tournent au brun jaunâtre, au brun plus ou moins foncé ou au rouge violacé (selon les espèces) à cause des enzymes qui sollicitent certains polyphénols déclencheurs des composés altérant la couleur et qui interviennent auprès des protéines responsables du futur arôme. Peu à peu, la fève perd son amertume et sa spongiosité.

La fermentation des *criollos* prend à peine trois jours alors que celle des *forasteros* et des *trinitarios* s'étale sur sept jours. Et peu importe les techniques ou les contenants utilisés, elles souscrivent toutes à ce même principe.

Après la fermentation, l'odeur des fèves s'est modifiée et se rapproche davantage des effluves qui caractérisent les produits chocolatés. Les fèves se sont débarrassées de 40 % de leur humidité, mais ce n'est pas assez. Le pourcentage idéal à atteindre se situe autour de 8 % – au-dessus de cette limite, les risques de moisissure et de maladies constituent un danger de tous les instants, ainsi que la possibilité d'altérer la qualité du beurre de cacao.

Le séchage

L'étape du séchage permet à la fève de réduire son taux d'humidité de 52 % et de devenir cette belle amande foncée si courtisée sur le marché mondial. Les techniques de séchage naturel sous les rayons du soleil et à l'air libre sont les plus répandues chez les propriétaires de petites plantations. Parfois, les graines sont réparties à même le sol qui est recouvert de bâches, sur des surfaces planes en ciment, parfois on les étend aussi sur des treillis surélevés. Si la pluie se met à tomber, les travailleurs s'empressent de les abrier. Dans certains pays, on a même inventé un système de toits mobiles montés sur coulisses pour protéger rapidement les fèves des intempéries impromptues.

(Dans quelques pays d'Amérique latine, l'étape du séchage est une occasion privilégiée de faire revivre le rituel ancestral de la danse du cacao, ayant comme seule musique d'accompagnement

la cadence du bruit provoqué par les pieds qui retournent les pépites dorées. Parfois, le soleil les rend si brûlantes qu'elles deviennent de véritables charbons ardents sous la plante des pieds des danseurs...)

Les fèves doivent être brassées et retournées souvent. On profite de cet étalement uniforme pour procéder au triage. Celui-ci s'effectue à la main : on repère les graines moisies et on les jette pour ne pas qu'elles propagent leurs bactéries, on enlève aussi les parcelles de pulpe restantes et les débris de toutes sortes (bouts de branches, fragments de cabosse, feuilles, etc.).

Sur les plantations de grande taille, on fait appel à des séchoirs électriques. Ce procédé coûteux, mais rapide consiste à faire passer les fèves sur une cloison qui les soumet à un courant d'air chaud réglé à une température approximative de 100 °C.

Le séchage naturel peut prendre entre sept et quatorze jours, selon les conditions climatiques, alors que le séchage artificiel, lui, vient à bout d'éliminer le surplus d'humidité contenu dans les fèves d'une façon assurée et régulière en n'excédant jamais une semaine.

Le calibrage

Une fois que les fèves se sont suffisamment gorgées de soleil, il est temps de les classer et de les regrouper selon leur taille, c'est le calibrage. L'appareil qui permet de compléter cette opération est constitué soit de cylindres troués dont les orifices correspondent à des grosseurs de fèves différentes, soit d'un gros cylindre principal à l'intérieur duquel un vent d'air chaud souffle les fèves dans sept casiers distincts. Cette catégorisation détermine clairement l'utilisation future des fèves : les plus ventrues, qui se retrouvent dans les trois premiers groupes, sont destinées au marché de la chocolaterie fine et confiées aux bons soins des mains de maîtres torréfacteurs, alors que les moins potelées servent à la fabrication du beurre ou de la poudre de cacao et à la production industrielle.

Ne reste plus qu'à les entasser dans des sacs de jute pouvant contenir entre 60 et 90 kilos et à les entreposer dans des bâtiments où règnent fraîcheur et aération.

Contrôle de la qualité

Même si on se doit d'expédier la marchandise le plus rapidement possible (afin d'éviter d'être aux prises avec une infestation d'insectes ou de petites bestioles indésirables), il faut prendre le temps d'effectuer un contrôle avant l'envoi des sacs.

Des inspecteurs gouvernementaux choisissent au hasard des spécimens dans quelque trois cents sacs. Ils ouvrent les fèves longitudinalement, considèrent les spécificités physiques : les fèves bien brunes reflétant un rouge acajou à peine dissimulé sont jugées de première qualité (contre toute attente, les fèves noires ne donnent qu'un cacao plutôt médiocre), les fèves d'un brun rouge violacé sont catégorisées de deuxième qualité et les fèves tirant davantage vers le pourpre sont étiquetées de troisième qualité – ces critères ne sont toutefois que des grandes lignes de conduite entre lesquelles les subtiles variations d'ocre, de châtain, de beige et d'orangé ont leur place. On surveille également la nature des

odeurs qui s'en dégagent, l'absence d'insectes parasitaires, la teneur en eau et l'homogénéité au niveau de la masse.

Les fèves de cacao peuvent ainsi subir des tests d'inspection jusqu'à trois fois avant leur départ, soit juste avant de quitter la plantation, en arrivant dans les entrepôts du port et avant le chargement de la cargaison dans le bateau.

La torréfaction

Une fois arrivées à bon port, les fèves de cacao poursuivent leur longue route et aboutissent chez le torréfacteur qui, très souvent, est l'artisan chocolatier lui-même. Tout comme les grains de café vert, elles sont rôties dans une machine à torréfier dont le mouvement rotatif leur permet de griller également. Le degré et le temps de torréfaction varient selon l'espèce de la fève et la nature du produit auquel on la destine ; les paramètres sont donc réglés d'après ses caractéristiques propres de manière à en soutirer le maximum de parfum et de saveur. La torréfaction fait l'objet d'une surveillance serrée afin que le niveau idéal de rôtissage ne soit pas dépassé. Lorsque des effluves marqués de cacao se répandent, il est temps de retirer les fèves qui auront perdu jusqu'à 10 % de leur poids. Elles seront ensuite refroidies à l'aide d'un ventilateur.

Le concassage

Les fèves sont ensuite versées dans une sorte de moulin mécanique qui les libère de leur coque dure et les casse en particules. Ces dernières sont à nouveau passées dans des tamis pourvus de trous de différentes grosseurs sous lesquels des sacs les recueillent automatiquement.

Certains chocolatiers utilisent ces grains grossiers dans quelques-unes de leurs recettes pour en accentuer la note gustative du cacao.

Le dégermage

La fève étant débarrassée de sa coquille, il faut ensuite procéder à l'enlèvement du germe ligneux et non comestible qui se trouve à l'intérieur. La dégermeuse, une machine actionnant une autre sorte de tamis cylindrique, accomplit ce travail.

Le broyage

Après avoir été décortiquées et concassées, les parcelles de fèves sont finalement passées au broyeur. Sous la pression des rouleaux, elles éclatent littéralement et, à mesure qu'elles y repassent, se transforment en une sorte de pâte de consistance épaisse. La chaleur que dégage le broyage fait alors fondre le beurre de cacao et amène la pâte à se liquéfier.

Pâte ou poudre?

À ce stade-ci, la pâte de cacao pourvue de matières grasses à 50 %, de substances protéiques à 14 % et d'amidon à 4 % peut être dirigée vers deux avenues : être transformée en poudre de cacao ou en chocolat.

Dans le premier cas, on sépare donc la précieuse matière grasse, appelée beurre de cacao, et on la récupère parce qu'elle contient des substances aromatiques et des qualités de conservation remarquables qui tiennent un rôle important dans la composition de nombreux produits chocolatés. (C'est au chocolatier hollandais Coenrad Johannes Van Houten que l'on doit cette technique d'extraction du beurre de cacao. En 1825, il se servit de lourdes presses hydrauliques pour moudre ses grains de cacao afin de pouvoir en isoler le gras.)

Ainsi délestée de son beurre, la pâte devient une poudre, appelée tourteau, qui renferme tout de même encore autour de 20 % de matières grasses. Au sortir des presses broyeuses, le tourteau est dirigé vers des moulins pulvérisateurs. La poudre fine et refroidie subit ensuite un traitement d'alcalinisation qui va lui donner la capacité de se dissoudre aisément dans du lait ou de l'eau.

Dans le deuxième cas, la pâte poursuit les étapes de transformation qui la feront se métamorphoser en chocolat.

Dans les milieux industriels, toutes les étapes décrites précédemment restent sensiblement les mêmes. Les plus grandes différences se retrouvent dans le fonctionnement de la machinerie qui se démarque par son avancement technologique. Par exemple, on procède à l'enlèvement de la coque et des germes ligneux par un système de séchage à l'infrarouge. Quant aux autres appareils servant au concassage, à la torréfaction, au broyage et à l'affinage, ils ne sont que plus sophistiqués, souvent informatisés, mais répondent essentiellement aux mêmes besoins.

Chapitre 5

La fabrication du chocolat

Reprenons donc les étapes de transformation à partir du moment où les fèves broyées deviennent une pâte se situant entre la poudre et le chocolat.

La malaxation et le broyage-raffinage

Cette pâte, donc, possédant toujours son beurre, est amalgamée à d'autres pâtes de cacao issues de crus provenant de différentes sortes de fèves (les crus aux appellations d'origine pure, c'est-à-dire constitués par une seule sorte de fèves, sont plutôt rares). Savoir créer un bon assemblage de pâtes est tout un art, car la conjugaison des bonnes proportions de *criollos*, de *forasteros* et de *trinitarios* détermine la finesse et la subtilité du caractère du chocolat.

Dans des malaxeurs, on mélange l'assemblage de pâtes avec du sucre, parfois même un peu de vanille (et du lait en poudre s'il s'agit d'un futur chocolat au lait). On poursuit l'affinage en rebroyant et en raffinant la pâte de manière à ce qu'il n'y ait plus le moindre petit corpuscule qui se fasse sentir entre la langue et le palais. La ténuité des particules se situe alors aux alentours de vingt microns.

Le conchage

Pour que le chocolat atteigne une liaison onctueuse et lisse, on doit le soumettre à l'action des conches, inventées par le chocolatier suisse Rodolphe Lindt, en 1880. Ces immenses bassins de fonte munis de rouleaux mobiles étaient autrefois des cuves en forme de coquilles, dites concha en espagnol. Les conches chauffées maintiennent la pâte à une température variant entre 60 et 80 °C. Au cours de cette opération, on ajoute du beurre de cacao pour que la pâte devienne fluide. Remué, pétri et écrasé constamment pendant des heures, le mélange parvient enfin à la texture suave et souple, au goût et aux arômes si enivrants lorsque déposé en bouche.

Les chocolats les plus fins peuvent nécessiter jusqu'à cinq jours de conchage. Quant aux chocolats de luxe réputés, quelques rares maisons affirment concher pendant dix jours et dix nuits pour caractériser leur chocolat d'une sensation de fondant incomparable.

Le tempérage

Après le conchage, il faut abaisser la température du chocolat pour que le beurre de cacao mette en œuvre ses propriétés de cristallisation. La pâte chocolatée est versée dans des tempéreuses (petits réservoirs dont la température ambiante est de 45 °C et équipés d'un brasseur). Le tempérage, ou tablage, permet d'arriver à une apparence de surface brillante extrêmement lisse et à une homogénéité faisant en sorte que le chocolat se défasse aisément en morceaux raisonnables (plutôt que de s'émietter ou encore d'être incassable), toutes deux gages d'une bonne conservation et de la durabilité du produit.

Le moulage

Une fois que le chocolat atteint la température idéale, on le verse à coup de doses précises dans les moules appropriés qui sont mus par un mouvement vibratoire, afin de répartir la pâte parfaitement et d'éviter la formation de bulles d'air. Puis, ceux-ci sont conduits sur un tapis roulant vers le tunnel refroidissant. Le chocolat se cristallise enfin en épousant fidèlement toutes les lignes de la matrice.

Les tablettes (ou tout autre forme) sortent facilement des moules et sont ensuite assujetties au pliage.

Le pliage

La plupart des tablettes de chocolat sont emballées d'abord dans une feuille d'aluminium, puis dans une feuille de papier. D'autres se retrouvent aussi à l'intérieur d'un seul pli de papier légèrement ciré. Les plieuses automatiques effectuent ce travail répétitif et ennuyeux. Leur rendement moyen est de 250 tablettes de 100 g à la minute.

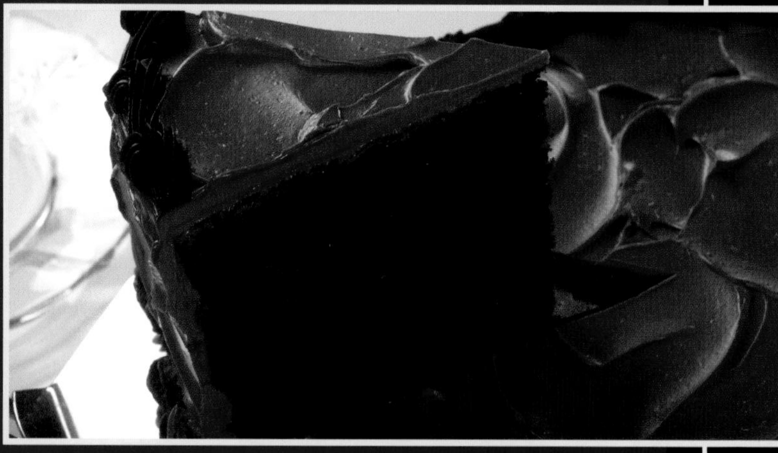

Chapitre 6

Le chocolat sous toutes ses formes

Qu'il s'agisse de chocolat noir, au lait ou blanc, le principe de fabrication reste absolument le même. Seul le dosage des ingrédients et l'ajout de un ou de deux éléments caractéristiques diffèrent.

Le chocolat de couverture

La plupart des artisans chocolatiers, surtout ceux qui possèdent un commerce modeste, ne peuvent pas s'imposer; considérant la fastidieuse suite d'opérations décrites dans le chapitre précédent ils préfèrent s'en remettre aux bonnes mains des entreprises spécialisées dans l'élaboration de produits semi-finis. Ainsi, les chocolatiers se procurent leur matière chocolatée soit sous forme de pâte de cacao, soit sous forme de chocolat, dit « chocolat de couverture », solide ou liquide.

On appelle donc « chocolat de couverture », le chocolat dérivant de la transformation de la fève jusqu'au conchage, pour le chocolat de consistance liquide, ou jusqu'au pliage, pour le chocolat solide. Le chocolat de couverture constitue la matière première de l'artisan chocolatier, du confiseur, du glacier, du pâtissier, du chef des plus insignes restaurants et même des chocolateries industrielles. Il sert à de multiples usages : à napper, à enrober, à glacer, à ornementer ou à donner les formes traditionnelles ou inventées de leurs créations. À partir de cette substance de base, les experts de la chose chocolatée usent de leur imagination pour concocter, amalgamer, festonner saveurs, arômes et textures dans le plus original et le plus heureux des mariages pour le plus grand plaisir des papilles. En fait, il n'y a de limites que celles définies par le bon goût !

Il existe toute une panoplie de garnitures chocolatées : les noires, les boisées, les vanillées, les caramélisées, les lactées, sont autant de choix pouvant être apprêtés. Un des géants parmi les fabricants, l'entreprise française Barry Callebaut (Charles Callebaut étant l'initiateur de l'idée du chocolat de couverture, en 1925), possède plus d'un millier de recettes à son répertoire.

Le chocolat noir

Les «puristes» prétendent que le seul vrai chocolat digne de ce nom est le chocolat noir. À notre avis, il serait tout à fait injuste de laisser pour compte le chocolat au lait, qui est encore le plus populaire dans le monde, et de considérer comme des sous-produits les bouchées divines comme les pralines et les truffes, sans compter toutes les bouchées fines concoctées par les maîtres chocolatiers. Les chocomaniaques savent rassasier leur passion en détectant les subtilités et en savourant les spécificités de chaque sorte de chocolat !

Peut-être que certains chocophiles sélectifs ont-ils cette considération inconditionnelle envers le chocolat noir parce qu'il a été le premier à pouvoir être dégusté et qu'il est ni plus ni moins le géniteur de tous les autres...

Quoi qu'il en soit, les experts dans le domaine jugent qu'un chocolat noir contenant entre 55 et 70 % de cacao est de très bonne qualité, le dosage idéal se trouvant quelque part entre 60 et 65 %. Sa robe d'un brun foncé arborant quelques reflets rougeâtres est annonciatrice d'arômes condensés et d'une saveur vivace. (Un chocolat de couleur très noire n'est pas nécessairement un bon chocolat ; il peut avoir été fabriqué avec des fèves de mauvaise qualité ou qu'on a laissé griller pendant trop longtemps, l'amertume peut alors être trop présente.) D'ailleurs, le chocolat noir a été l'objet de nombreuses réglementations au cours de l'histoire : en 1910 et en 1954, on a dû imposer des normes pour lutter contre les fraudeurs qui «diluaient» les produits à base de cacao en les remplaçant par une multitude de substances. Plus récemment, en 1973, on établissait des directives en ce qui a trait aux dénominations des produits et aux standards de composition. En 1976, la France a finalement fait accepter un décret établissant qu'un chocolat noir supérieur devait être composé d'au moins 43 % de pâte de cacao (le pourcentage obligatoirement inscrit sur l'emballage), de plus de 26 % de beurre de cacao et de moins de 57 % de sucre.

Depuis les quinze dernières années, l'engouement pour le chocolat noir (ou mi-amer, ou mi-sucré) ne cesse de gagner du terrain. On croit que l'élément déclencheur de ce changement pourrait être la baisse du prix du cacao et l'augmentation de celui de la poudre de lait (composante essentielle à la fabrication du chocolat au lait) qui ont sévi vers le milieu des années 80. Un autre facteur non négligeable qui a contribué à répandre la popularité du chocolat noir est certainement la spécialisation du métier de chocolatier, l'inventivité de ces artisans ainsi que la prolifération des boutiques de fabrication artisanale. L'entichement pour le chocolat de luxe a poussé ces nouveaux professionnels à explorer les possibilités des différents crus de cacao et à les apprêter de manière à mettre en évidence leur caractère propre. Tels des bijoux dans une vitrine, les présentoirs bondés de bouchées chocolatées exclusives et originales attirent les consommateurs comme des aimants et les incitent à la découverte. (Les Italiens sont les plus frénétiques amateurs de chocolat amer de toute l'Europe.)

Le chocolat au lait

C'est grâce au Suisse Daniel Peter qui, en 1875, a concilié le procédé de condensation du lait, inventé quelques années

auparavant par le chimiste Henri Nestlé, avec le cacao que la fabrication du chocolat au lait a pu être possible. Jusqu'alors, tous les efforts pour tenter d'incorporer du lait (dont le taux d'humidité est beaucoup trop élevé) dans la pâte de cacao avaient été vains.

Le chocolat au lait contient moins de cacao que le chocolat noir ; la limite inférieure ne doit cependant pas être en dessous de 25 %. Le pourcentage de poudre de lait se situe à 16 % et celui des matières grasses à 26 %. Quant au sucre, il ne doit pas excéder 50 %.

Le chocolat au lait n'échappe pas au raffinement des goûts, et les fabricants de chocolat de couverture ainsi que les artisans chocolatiers l'élaborent à partir de crus soigneusement choisis.

Peu importe la forme sous laquelle il est offert, le chocolat au lait est toujours celui qui a la cote, car il est le plus en demande dans le monde entier. La tablette Milka de la compagnie Suchard, mise sur le marché par les Suisses en 1901, est le symbole de la réussite commerciale. La Suisse est d'ailleurs considérée comme une sommité dans l'univers du chocolat et surtout dans la fabrication du chocolat au lait : Suchard, Tobler, Lindt, Nestlé et Kohler sont des noms qui sillonnent inlassablement les marchés du monde entier.

Le chocolat blanc

Si l'on s'en tient aux normes imposées par la réglementation qui régit les produits en droit de porter l'appellation de chocolat (soit une présence minimale de 25 % de cacao), le chocolat blanc ne serait pas digne d'arborer ce nom. On l'inclut tout de même dans la famille en raison du beurre de cacao qui le constitue dans une proportion de 20 % et de sa complexion similaire à celle des chocolats foncés.

Les substances sèches lactiques comptent pour 14 %, le sucre pour 55 % et les matières grasses butyriques pour 4 %.

Le goût du sucre y est prédominant, et il faut vraiment être amateur de ce type de fondant pour apprécier.

Il est possible de se procurer du chocolat blanc en tablette ainsi que dans toutes les représentations imaginables suivant les occasions : lapins, poules et œufs à Pâques, cœurs à la Saint-Valentin, motifs du temps des Fêtes, etc.

Les artisans chocolatiers, loin de l'ignorer, s'en servent pour faire ressortir certains éléments de leurs petites sculptures chocolatées ou pour agrémenter la présentation de quelques confiseries fantaisistes. Le chocolat blanc constitue la matière de base par excellence pour le chocolatier désirant se prêter à l'exercice.

Le chocolat fourré

Avant d'arriver à élaborer l'infinité de mélanges que l'on connaît aujourd'hui, il a fallu que quelqu'un d'ingénieux lance une idée qui, avant 1830, n'avait toujours pas été initiée. Le mérite de cet éclair de génie revient à un Suisse du nom d'Amédée Kohler, c'est lui qui pensa le premier à incorporer des noisettes dans le chocolat. Un mariage qui n'a pas tardé à faire des petits. D'autres combinaisons heureuses incluant les amandes et les raisins secs ont vite obtenu la faveur des langues gourmandes.

Les noix, les fruits secs et les zestes d'agrumes sont rapidement devenus des alliés pour les chocolatiers à la recherche de sensations gustatives révélatrices. Peu à peu, les artisans du chocolat se sont mis à façonner ces nouvelles composantes de manière à obtenir des textures originales et intéressantes pour le palais : les noix en petits morceaux ou en pâte, les raisins secs trempés dans le rhum, les pruneaux et les figues en mélange pâteux, etc. Les fruits immergés dans des boissons alcoolisées, comme les célèbres cerises au kirsch, et insérés dans une carapace chocolatée ont donné le ton à de nouvelles saveurs.

Les ganaches, les truffes et les pralines

Comment le mot « ganache », synonyme du terme « imbécile », en est-il arrivé à dénommer la garniture de prédilection pour bon nombre de chocolatiers ? Il semble bien qu'on le doive à la maladresse d'un novice travaillant dans une pâtisserie parisienne. Le malheureux a échappé du lait bouillant dans un bac rempli de chocolat en tablettes. Après avoir constaté le gâchis, son patron l'a semoncé et traité de « ganache ». Avec l'énergie du désespoir, il s'est mis à brasser le tout pour essayer de récupérer ne serait-ce qu'une partie de la précieuse matière. Sa ténacité lui a valu d'obtenir un mélange inespéré d'un moelleux exquis et d'une délicieuse saveur.

Avec le temps, on a légèrement modifié la recette d'origine en y ajoutant de la crème fraîche. Lorsque celle-ci atteint le point d'ébullition, le chocolatier incorpore les petits copeaux du chocolat de couverture de son choix, dans une proportion équivalant au double du poids de la quantité de crème. Sous le coup de la chaleur, les deux substances fusionnent et épaississent. Certains n'hésitent pas à rajouter un peu de beurre pour obtenir un corps plus homogène.

Les amoureux du chocolat raffolent des garnitures de ganaches parce qu'elles renferment la plus haute teneur en cacao.

Cependant, en faisant preuve de tact et d'esprit, les chocolatiers parviennent à les embaumer de mille et une façons : infusions de thé, de café ; notes fruitées au citron, à la framboise, à la pêche ou à la mûre ; épices et aromates vaporeux comme la vanille, la cannelle, la réglisse, la menthe, le poivre, la cardamome, le girofle ; et effluves fleuris au jasmin. Leurs prouesses font foi de leur niveau d'inspiration.

La ganache à la crème ou au beurre constitue le cœur de la truffe, ce bonbon chocolaté à l'aspect terreux et un peu rude. Roulée en boulette inégale, la ganache est donc recouverte d'un mince voile de chocolat noir empêchant l'air et l'humidité de pénétrer et d'altérer les ingrédients chatouilleux ainsi que d'un pelage de poudre de cacao. Les truffes sont des chocolats qui, dans plusieurs pays, s'offrent plus spécialement à Noël.

Dans la veine des classiques élaborés à partir de ganache, il y a les incontournables « palets d'or » du Français Bernard Sérardy. Considérés comme de véritables joyaux, les palets d'or renferment une ganache parfumée au café et sont recouverts d'une couche de chocolat sur laquelle on laisse tomber quelques paillettes d'or. Créés en 1898, les palets d'or font encore partie du répertoire des valeurs sûres des maîtres chocolatiers, qui les revêtent de leurs meilleurs crus.

Jusqu'au début du XXe siècle, les chocolatiers se devaient d'élaborer des garnitures suffisamment solides afin de pouvoir les tripoter sans trop les déformer pour ensuite les immerger dans le chocolat d'enrobage. Le Belge Jean Neuhaus allait révolutionner et élargir le cadre de la manière de concevoir et de faire les chocolats en bouchées. Petit-fils d'un homme qui tenait une confiserie pharmaceutique, il a poursuivi les activités commerciales familiales, mais en délaissant les bonbons aux vertus thérapeutiques pour donner davantage de place au chocolat. En 1912, Jean Neuhaus crée le concept de la coque chocolatée dure et ferme dans laquelle on peut désormais introduire des substances presque liquides, des crémages et des beurres veloutés, des ganaches et des pralinés mousseux, des caramels mous, etc. Chaque morceau devient une délicieuse surprise fondante s'emparant d'absolument tous les recoins de la bouche. Le summum du chocolat fourré ! La praline est née.

C'est au même homme que l'on doit aussi l'invention du « ballotin », ce petit contenant en carton dans lequel on dépose les pralines pour les transporter en toute sécurité, sans risquer de les réduire en bouillie au moindre choc – c'est en 1915 que Neuhaus a déposé le brevet de son nouveau procédé d'emballage.

Les pralinés (mélange d'amandes, de noisettes et de sucre caramélisé refroidi et broyé auquel on incorpore de la pâte de cacao) enveloppés de chocolat au lait, les crèmes fraîches ou beurres enrobés de chocolat noir, les massepains (amandes pilées, sucre et blancs d'œufs) recouverts de chocolat fondant et le Manon (crème au beurre aromatisée au moka disposée entre deux noix et roulée dans du sucre fondant ou du chocolat blanc) représentent les quatre formules maîtresses de fabrication des pralines belges. Ces recettes « de base » sont le point de départ, la source d'inspiration d'une multitude d'autres variétés apprêtées selon les goûts plus spécifiques de certaines clientèles en quête de nouvelles sensations.

Fidèle à ses origines, la praline reste encore aujourd'hui le champ de prédilection de la Belgique : les marques Godiva, Léonidas et Neuhaus en sont les plus beaux fleurons.

Les garnitures à confiserie

La confiserie représente donc une part significative de l'industrie chocolatière. Elle englobe tous les articles courants tels que rochers, pavés, bouchées, Napolitains, bâtonnets, pastilles, barres chocolatées, gaufrettes, etc., ainsi que les produits temporaires comme les moulages de Pâques et de Saint-Valentin.

Ce qu'on retrouve au cœur de ces confiseries sont, en vrac, le fondant, la pâte d'amandes, le caramel, la nougatine, la pâte de fruits, la guimauve, le nougat blanc, les liqueurs, les pralinés, les ganaches, les *gianduja*, les cerises et les massepains.

Tablette ou bonbon?

Même si les inconditionnels apprécient le chocolat sous toutes ses formes, il s'en trouve pour qui le goût voluptueux du bonbon n'aura jamais d'égal. Et pour cause, les bouchées chocolatées sont souvent le résultat d'une concoction relevant de l'alchimie! En effet, à elle seule, la coquille de recouvrement peut être l'objet

d'une recherche explorant les sentiers des intensités gustatives et aromatiques de plusieurs chocolats de couverture (renfermant eux-mêmes des fèves d'espèces et d'origines différentes) avant de repérer les trois, quatre ou cinq sortes qui seront finalement mélangées ensemble. La même démarche méticuleuse se répète pour les ingrédients qui se retrouveront dans les garnitures. Un tel alliage doit tenir compte d'une foule de détails que le maître chocolatier ne peut se permettre de perdre de vue. Chaque nouvelle recette est une victoire pour l'artisan parce qu'elle est la preuve concrète qu'il a su composer avec la chimie parfois capricieuse des substances en présence et qu'il a su en conjuguer les subtilités harmonieuses.

Sans l'ombre d'une intention de dénigrement, la tablette, quant à elle, est vouée à une autre sorte de consommation que l'on pourrait qualifier de plus goulue. Le plaisir de la fractionner, de la partager ou le sentiment rassasiant de mordre à pleine bouche tout en sachant qu'il en reste encore pour quelques bouchées est indissociable de cet acte gourmand. De coût plus abordable, la tablette est beaucoup plus accessible. À preuve, les Français consomment quatre millions de tablettes de chocolat de 100 g quotidiennement, dont 50 % sont au lait et 40 % au chocolat noir. Quant à la tablette de type américain, la « barre chocolatée », elle consiste en une superposition de garnitures dont l'enrobage ne contient que peu de cacao. N'empêche que les Nord-Américains en raffolent.

Le chocolat : volet industriel

Le charme des maisons de fabrique artisanale nous fait parfois oublier que le chocolat est aussi une matière faisant prospérer de grandes compagnies. Il ne faut pas oublier que c'est à l'industrialisation que l'on doit la démocratisation du chocolat. La mécanisation des procédés a permis de produire le chocolat à des coûts moindres tout en respectant les critères d'une bonne qualité et, ainsi, de le rendre accessible à une clientèle plus large ayant désormais les moyens de s'offrir la friandise. Mais comme dans plusieurs autres marchés, les petits ont besoin des grands, et les grands ont besoin des petits ; le secteur chocolatier n'échappe pas à cette règle. En effet, la rapidité d'exécution et la croissance de la productivité amenées par l'avancement technique risquaient d'entraîner dans leur giron une uniformisation des goûts. Influencées par les artisans en constante recherche, plusieurs compagnies d'envergure ont décidé de se mettre au diapason en utilisant, elles aussi, de grands crus et en raffinant certaines de leurs recettes.

Les chocolateries industrielles s'adonnent à la fabrication de quatre catégories de produits : les chocolats moulés (dont les tablettes), les pâtes à tartiner, la confiserie au chocolat (incluant les bonbons et bouchées ainsi que les barres chocolatées si populaires sur le continent américain) et les chocolats en poudre.

Les premières chocolateries d'envergure industrielle ont commencé à éclore dans la deuxième moitié du XVIIIe siècle avec l'apparition des machines hydrauliques et à vapeur. La Compagnie française des Chocolats et des Thés Pelletier & Cie a été la première à être inaugurée en France, en 1770. Une ribambelle d'autres noms réputés comme Suchard, Poulain, Menier, Côte d'Or, Cadbury et Hershey allaient suivre dans peu de temps...

La conservation du chocolat

D'une nature plutôt fragile, le chocolat a des exigences très précises pour réunir les conditions optimales pour garantir sa conservation et pour ajouter au plaisir de la dégustation.

Les chocolats liquides et en pâte à tartiner ne représentent pas de défis particuliers ; on n'a qu'à respecter les dates d'expiration inscrites sur l'emballage.

Le chocolat solide est celui qui exige le plus de précautions, la meilleure solution étant encore de le manger dans les plus brefs délais après l'avoir acheté, surtout s'il renferme une substance à corps mou comme du caramel, du fondant ou une crème.

L'ennemi numéro un du chocolat est très certainement la chaleur : au-dessus de 28 °C, il fond (la température qui ne risque pas de causer de dommages aux produits en chocolat se situe entre 15 et 18 °C.) Lorsqu'il refroidit et se durcit à nouveau, le chocolat laisse souvent apparaître des taches blanchâtres qui sont dues à la cristallisation du beurre de cacao. Bien sûr, il est comestible, mais disons que son apparence ne nous incite pas vraiment à nous en glisser un morceau sur la langue !

Ennemi numéro deux : le séjour dans le frigo. En plus de faire figer la garniture intérieure du chocolat, le froid dépose une pellicule d'humidité qui lui enlève son éclat et qui laisse transparaître un aspect blanchâtre, et il enraye le goût.

Ennemi numéro trois : la lumière qui, à son contact, fait se désagréger les molécules de beurre de cacao délestées de leurs qualités gustatives.

La meilleure façon de conserver le chocolat sans en altérer le goût et la texture est de l'enfermer dans un contenant hermétique (boîte en fer blanc, bocal) afin que les odeurs avoisinantes ne l'atteignent pas et ne s'immiscent pas à l'intérieur de ses pores, et de le remiser dans un endroit sec. Une fois entamés, les produits chocolatés enveloppés dans le papier d'aluminium devraient réintégrer leur emballage, car celui-ci constitue un excellent isolant en soi.

Chapitre 7

Les grands noms du chocolat

Van Houten et Droste

Le pays des moulins à vent a vu, dès le début du XIXe siècle, le nom de l'un des siens s'inscrire dans les premières pages de l'histoire de la fabrication chocolatière industrielle. L'acuité observatrice de Coenrad Johannes Van Houten lui a permis de comprendre que la chaleur dégagée par le broyage intense des fèves de cacao provoquait l'écoulement des matières grasses contenues à l'intérieur de celles-ci. On pouvait à ce moment les recueillir pour s'en servir comme d'un beurre. Cela le mènera à construire, en 1825, un compresseur mû par la force hydraulique permettant d'accroître la pression exercée et d'effectuer un broyage extrêmement efficace. Mais là ne s'arrête pas sa capacité inventive. Van Houten trouve la façon de dissoudre encore plus aisément la poudre de cacao dans toute solution liquide : le dutching. Il obtient le résultat escompté en ayant recours à des sels alcalins qu'il ajoute dans la pâte de cacao avant qu'elle ne soit pressée. Ces deux nouveaux ingrédients, le beurre de cacao et la poudre soluble, ont eu un impact direct tant au niveau de la création de nouvelles recettes que de l'élargissement de l'utilisation d'une machinerie mieux adaptée.

La découverte de Van Houten a donné le ton à la nature du développement de l'industrie chocolatière hollandaise : le cacao en poudre, dont elle pourvoit l'Europe. Aujourd'hui, des noms comme Bensdorp, De Zaan et Gerkens côtoient fièrement celui de Van Houten.

Quant à la fabrication de chocolat, la compagnie Droste a toujours la faveur publique grâce à ses petites pastilles de chocolat noir amer.

Cadbury, Mars et Rowntree

John Cadbury a établi les bases de son empire en ouvrant une petite boutique de café, thé et chocolat à Birmingham. Sept ans plus tard, en 1831, il a les reins assez solides pour commencer à fabriquer lui-même son chocolat et, en 1894, l'entreprise qui porte son nom est la plus productive de toute l'Angleterre.

Influencé par l'entrepreneur français Émile-Justin Menier, il fait bâtir des résidences avoisinant l'usine pour ses employés et baptise le patelin Bournville.

Plutôt sucrées et à faible teneur en cacao, les barres chocolatées Cadbury, Mars (créée par Frank Mars en 1924) et Rowntree (qui s'impose grâce à ses minces bouchées digestives de chocolat noir fourrées de crémage à la menthe, les « After Eight ») remportent un succès fou, ce qui ne laisse que très peu de place au chocolat artisanal plus raffiné.

La famille Mars possède l'une des plus grandes fortunes du monde, et tous ses membres sont extrêmement vigilants en ce qui concerne leur vie publique ; ils prennent garde de ne jamais se faire photographier ou de s'exposer outre mesure. L'usine Mars's M&M's factory à Hackettstown, dans le New Jersey, aux États-Unis, opère vingt-quatre heures par jour pour produire environ trois cents millions de boutons M&M's.

On raconte aussi que la qualité est presque une obsession chez Mars, qui fabrique aussi les barres chocolatées Twix, Snickers et Milky Way, et qu'il est régulièrement demandé aux employés de goûter les produits pour s'assurer qu'ils correspondent aux critères imposés.

Caffarel

En 1861, l'Italie est aux prises avec une économie chancelante et éprouve des difficultés à se procurer des produits d'importation, dont les fèves de cacao. Cette situation a forcé ses entrepreneurs à user de leur imagination. C'est ce qu'a fait le Piémontais Isidore Caffarel en ajoutant des noisettes, réduites elles aussi en pâte, dans la substance chocolatée de base. L'illustre *gianduja* (mot inspiré par le nom d'un héros indépendantiste de l'époque « Jean le Pichet » italianisé en « Gian d'la Duja ») ou *giandujotti* est né en 1865. La bouchée en forme de rectangle trapézoïdale enveloppée individuellement correspondait en tous points au grand raffinement du design et du goût italien : la pâte fondante contenant un mélange de noisettes, de noix ou d'amandes broyées délicatement, de sucre et de chocolat. La maison Caffarel est encore l'une des plus importantes chocolateries d'Italie.

Suchard

Une visite chez l'apothicaire suffit à intéresser le Suisse Philippe Suchard au chocolat. C'est effectivement en allant acheter une livre de chocolat pour soigner sa mère malade que le garçonnet de douze ans s'est aperçu du coût exorbitant du remède miracle – cela équivalait à trois jours de salaire d'un ouvrier.

En 1826, il a pignon sur rue à Serrières. La machinerie de son entreprise fonctionne grâce à l'énergie que déploie une roue à aubes et épaulé par un seul manœuvre, Philippe Suchard réussit à fabriquer trente kilos de chocolat par jour. Tablettes et pastilles ne tardent pas à remporter des médailles d'or aux Expositions universelles de Londres (1851) et de Paris (1855), et à se retrouver dans toutes les bouches. Son fils prend la relève et meurt prématurément. Le beau-frère de ce dernier décide de continuer. C'est donc à Carl Russ que la compagnie Suchard doit son premier chocolat au lait, la fameuse Milka, introduite sur le marché en 1901.

Quelque trente ans plus tard, les actions du chocolat Suchard passent aux mains de la compagnie Poulain. Aujourd'hui, la compagnie a joint les rangs du groupe Kraft-Jacobs-Suchard.

Poulain et Menier

L'investissement de base de 1 800 francs de Victor-Auguste Poulain, en 1848, lui a permis de prendre son envol et d'ouvrir sa petite chocolaterie artisanale à Blois pour y vendre des produits arborant son nom. Son but ultime : fabriquer du chocolat à coût abordable et de bonne qualité. Il fait construire une petite usine, quelques ateliers et ouvre un comptoir de dépôt à Paris. En 1878, pas moins de cinq tonnes de chocolat sortent de ses usines chaque jour. En 1884, son fils Albert crée le « petit déjeuner à la crème vanillée » qui fait le bonheur matinal de tous les enfants puisque dans la boîte métallique se trouve une figurine de métal. Poulain appartient maintenant à Cadbury-Schweppes.

Les Menier, père et fils, ont aussi joué un rôle capital dans l'industrie chocolatière. La famille s'installe à Noisiel près d'un moulin pour moudre les poudres médicinales du père. Une petite chocolaterie adjacente lui donne l'idée d'en enrober ses pilules. En 1867, son fils du nom d'Émile-Justin, lui succède et se lance tête baissée dans l'aventure chocolatière. La compagnie est au premier rang avec sa production annuelle de 25 000 tonnes. Il décide d'acheter des plantations de cacaoyers au Nicaragua, une flotte de bateaux, une peupleraie dont le bois des arbres sert à fabriquer les caisses. Autour de l'usine, il fait construire des maisons pour ses employés, qu'il appelle les « chocolats », et pour qui les frais médicaux, l'accessibilité à la bibliothèque et l'enseignement sont gratuits. Émile-Justin meurt en 1881. Son fils Henri continue sur la même lancée en faisant installer l'électricité et le téléphone ; en 1891, il donne un plan de retraite à ses employés qui leur permet de se retirer à l'âge de soixante ans. Malgré sa croissance spectaculaire et sa gestion hors du commun, la compagnie Menier ferme ses portes en 1959. Nestlé-France a pris possession du patrimoine de Noisiel.

Lindt

Un autre Suisse, Rodolphe Lindt – celui-là même qui a mis au point le procédé du conchage, en 1879, permettant de rendre le chocolat encore plus lisse et plus souple, et qui a eu l'idée de verser du beurre de cacao à la pâte pour en adoucir le goût –, fait figure de proue dans l'industrie chocolatière. Le maître incontesté du chocolat fondant a dirigé sa compagnie pendant une vingtaine d'années pour finalement s'en départir en 1899. Il a tout vendu, y compris sa fabuleuse recette, à David Sprüngli, qui ne connaissait absolument rien au chocolat. Cet homme s'est découvert une véritable passion pour l'aliment. En 1900, après avoir appris le métier, il a établi son entreprise aux abords du lac de Zurich qui est ensuite devenue la plus grande compagnie chocolatière indépendante de

Suisse. Anecdote intéressante à souligner, le 150e anniversaire de la compagnie Lindt-Sprüngli a été célébré par l'envoi d'une boîte de leur chocolat dans chacun des foyers du pays (ce qui représentait un total d'environ 2,4 millions de boîtes).

Barry

Charles Barry fonde sa chocolaterie, en Angleterre, au milieu du XIXe siècle qui n'arrivera en France qu'au début du siècle suivant. Le nom se démarque grâce à sa poudre de cacao Cacao Barry. Maintenant le groupe Barry est fournisseur de matières premières pour les industries et pour les artisans, et est le plus gros transformateur de fèves français avec ses 170 000 tonnes de fèves torréfiées par année.

Toblerone

De toutes les tablettes de chocolat, la Toblerone est certainement la plus connue. Sa forme triangulaire, rappelant la forme du mont Cervin, et son emballage cartonné en ont fait un produit facilement identifiable. On doit l'invention de cette tablette à un autre Suisse, Jean Tobler, d'où le radical du nom Toblerone – quant à la terminaison, elle provient du mot italien *torrone*, signifiant nougat. C'est en 1908 que Jean Tobler a trouvé les bonnes doses de chocolat, de miel, de brisures d'amandes, de nougat italien et de blancs d'œufs qui composent sa désormais célèbre tablette. La fabrication de la Toblerone est assurée, depuis 1970, par Suchard, à raison de cent trente tonnes quotidiennement dans une gamme de formats qui varient entre trente-cinq grammes et quatre kilos et demi.

Neuhaus, godiva, guglian et léonidas

Fleurons du rayonnement belge, ces quatre noms sont synonymes de l'un des produits parmi les plus convoités, la praline.

C'est en suivant les traces de son père, Charles – qui, d'ailleurs, a été le premier Belge à fonder une entreprise chocolatière, en 1870 opérant sous l'enseigne de Côte d'Or illustrée par un éléphant à la trompe relevée –, que Jean Neuhaus arrive un jour à jeter les bases d'un procédé novateur : la coquille de chocolat solide pouvant être farcie avec les concoctions de « fourrages » les plus fluides, les plus crémeux et les plus fondants. Les quantités de liquides et liqueurs, des crèmes et caramels ne sont plus mesurées dans le but d'obtenir un mélange obligatoirement ferme, mais plutôt selon les limites du bon goût. (Côte d'Or fait aujourd'hui partie du groupe Kraft-Jacobs.)

Depuis sa fondation en 1913, la maison Léonidas a élaboré plus de quatre-vingts recettes de pralines. Non seulement elle produit près de 70 % des pralines fabriquées dans le plat pays, mais elle possède également quelque 1 750 commerces franchisés à travers le monde.

La fabrique de pralines Godiva fonctionne depuis 1946 et a ouvert des usines aux États-Unis (à New York) et au Japon (à Tokyo).

La chocolaterie Guylain, bien connue sur le continent américain pour ses pralines en forme de coquillage, n'est pas en reste avec ses deux mille tonnes de chocolat mensuelles exportées dans cent quarante pays.

Perugina et ferrero

Si le nom Perugina ne vous fait pas réagir, peut-être en sera-t-il autrement du mot « Baci » ? Ces petits chocolats fondants emballés dans du papier argenté contenant un billet amoureux existent depuis 1922 et sont envoyés partout dans le monde. Un demi-milliard de ces baisers imprégnés de la douceur passionnée méditerranéenne du chocolat fondant et de pâte de cacao noisettée parcourent les marchés internationaux chaque jour.

Toutefois, c'est Pietro Ferrero qui remporte la palme et obtient le plus grand succès commercial dans le domaine chocolatier italien. Son « Rocher » de chocolat fondant enrobé d'une pâte de noisettes grillées est, en effet, le chocolat italien le plus apprécié et le plus vendu dans le monde. Cet homme de génie a aussi élaboré, en 1949, la fameuse recette du Nutella qui garnit si savoureusement tartines et croissants des mordus de délices chocolatés. Le goût noisetté et la texture onctueuse de cette pâte représentent un sérieux obstacle à la volonté de certains gourmands qui ne peuvent résister à la tentation de contenter leur envie en s'en délectant à la cuillère !

Le chocolat flanqué d'une cerise « Mon Chéri » est aussi un produit Ferrero dont les Allemands raffolent plus particulièrement.

Callebaut

Charles Callebaut est un nom méconnu du grand public, mais très important dans le domaine de l'industrie du chocolat de couverture. Quelques années après la Première Guerre mondiale soit en 1925, il a institué la livraison du chocolat de couverture chaud et liquide (au lieu des blocs solides) en le transportant dans des camions-citernes. Les artisans et les usines de fabrication réalisaient des économies de temps et d'argent considérables grâce à cette nouvelle façon de procéder. La compagnie se spécialise dans l'élaboration de recettes de chocolat de couverture servant aux spécialistes belges, français et anglais.

Hershey

Le début du XXe siècle a donné une place de choix à l'Américain Milton Hershey. Il a composé la formule de la concoction de sa barre de chocolat en remplaçant le lait entier par du lait condensé. Les Américains sont tombés littéralement amoureux de cette friandise au coût très abordable. Par ailleurs, en Europe, la barre de chocolat au lait Hershey a été pendant quelques années la représentation symbolique de la bonté américaine. Cette réputation, Hershey la doit à ses compatriotes militaires qui en ont fait cadeau à tous les enfants qu'ils rencontraient sur leur passage dans les villes libérées lorsque la Seconde Guerre mondiale a pris fin.

La compagnie Hershey's a fait ériger, elle aussi, une petite ville qui est devenue un lieu touristique populaire : le zoo, les jardins publics, l'usine et le parfum qui coiffe la ville sont autant de raisons de s'y arrêter.

Les « Kisses », ces grosses gouttes de chocolat enveloppées individuellement dans du papier argenté, envahissent les tablettes de commerçants au rythme d'une trentaine de millions par jour. De tous les bonbons industriels vendus au pays de l'oncle Sam, ils sont les plus en demande.

Chapitre 8

Le commerce de la fève brune

À partir du moment où les Espagnols se sont rendu compte de l'immense potentiel que représentait la culture du cacaoyer, il aura fallu près de quatre cents ans pour que l'arbre donnant la « nourriture des dieux » des Aztèques soit transplanté dans différents pays équatoriaux de la planète.

De son Amérique centrale natale, le cacaoyer a entrepris un long voyage dont le parcours a été tracé selon les besoins des pays colonisateurs européens. Au XVIIe siècle, les Français exploitent des plantations en Martinique, les Hollandais au Surinam et les Anglais en Jamaïque. Les Philippines reçoivent également leurs premiers plants. Au XVIIIe siècle, le Brésil, l'Équateur et Trinidad commencent à leur tour l'exploitation du cacaoyer. Puis, le XIXe siècle inscrit dans les rangs des pays producteurs l'île de São Tomé (située dans l'Atlantique près du Portugal), le Ghana, le Nigeria, Java et Sumatra. Enfin, la Côte d'Ivoire, le Cameroun, les Nouvelles Hébrides, la Nouvelle-Guinée et Samoa se joignent aux autres au début du XXe siècle. (Tous ces pays sont également des producteurs de café importants.)

Tableau des pays producteurs (1997)

Pays	milliers de tonnes par an
1. Côte d'Ivoire	1 125
2. Ghana	335
3. Indonésie	325
4. Brésil	165
5. Nigeria	150
6. Cameroun	120
7. Malaisie	115
8. Équateur	95
9. République dominicaine	60

Pays	milliers de tonnes par an
10. Colombie	50
11. Mexique	41
12. Papouasie	38

Les trois premiers pays producteurs fournissent à eux seuls tout près des deux tiers de la production mondiale, soit 40% pour la Côte d'Ivoire, 13% pour le Ghana et 11% pour l'Indonésie; les autres pays se partageant les 36% qui restent.

La production mondiale représente environ 2 700 000 tonnes de fèves de cacao; c'est le troisième marché en importance après le sucre et le café.

La culture du cacaoyer et les industries des produits dérivés procurent un très grand nombre d'emplois et génèrent des sources de revenus très importantes pour les populations des pays producteurs qui, pour la plupart, font partie des pays en voie de développement.

Une ombre plane cependant et inquiète plusieurs propriétaires et ouvriers des plantations depuis 1994: l'adoption d'une législation européenne autorisant les entreprises industrielles de fabrication de chocolat à remplacer le 5% de beurre de cacao par d'autres graisses végétales. Cette nouvelle réglementation aurait des répercussions directes sur la demande en beurre de cacao (en la faisant chuter) et risquerait d'aggraver les problèmes de surproduction déjà criants. (Sans compter les risques d'altération du goût du chocolat que cette manœuvre représente ainsi que l'ouverture à d'autres demandes du genre.)

Les pays consommateurs

Paradoxalement, les pays producteurs ne sont pas des consommateurs de chocolat. Si les conditions climatiques équatoriales sont idéales pour la culture, elles ne conviennent pas du tout à la conservation du produit une fois fini. La chaleur et l'humidité qui prévalent dans ces régions du globe imposent leurs lois: le chocolat fond! De plus, le revenu familial étant peu élevé, les habitants ont un niveau de vie modeste qui ne leur permet pas de s'offrir cette denrée.

Tableau des pays consommateurs (1995)

Pays	kg/habitant/an
1. Suisse	9,8
2. Autriche	8,9
3. Allemagne	8,4
4. Belgique	8,3
5. Norvège	7,9
6. Grande-Bretagne	7,6
7. Australie	5,8
8. États-Unis	5,2
9. France	4,5
10. Pays-Bas	4,3
11. Canada	3,7
12. Italie	2,4

Tous les goûts sont dans la nature !

Les goûts ne se discutent pas, et fort heureusement ! D'ailleurs, chaque nationalité semble avoir sa préférence...

Les Suisses, les plus grands mangeurs de chocolat au monde, ont un sérieux penchant pour le chocolat au lait. Au fait, ne sont-ils pas réputés pour fabriquer le meilleur ? Pour une fois, cordonnier bien chaussé ! (Le chocolat au lait additionné de noisettes compte aussi parmi leurs favoris.)

Les Autrichiens et les Allemands sont des fervents de chocolats à déguster en petites tablettes ou en bouchées vendues à l'unité. Ils aiment les chocolats au lait et plutôt sucrés.

Les Belges, les rois de la praline, et les Hollandais raffolent des chocolats fourrés de garnitures à base de fondant ou de crème.

Les Anglais et les Américains jettent leur dévolu sur les friandises très sucrées. Les « fourrages » au caramel et à la menthe, et les enrobages au chocolat au lait (fait avec du lait liquide et non du lait en poudre) sont les plus populaires. La popularité des barres Mars, Kit-Kat, les Smarties et les bouchées After Eight en sont de bons exemples.

Les Français sont encore de très grands amateurs de tablettes de chocolat au lait, au lait avec noisettes, au lait avec riz soufflé, mais l'engouement pour le chocolat noir ne cesse d'augmenter et de s'approprier une part notoire du marché.

Les Italiens ne sont pas très portés sur la tablette et penchent davantage pour les petits bonbons de chocolat, les *cioccolatini*, alors que le chocolat à boire et les pâtes à tartiner sont l'apanage des Espagnols.

Parlant de goûts...

Le chocolat en lui-même, sans garniture et sans à-côté, peut suffire à combler les exaltations les plus fougueuses, mais il y a des mariages qu'on ne doit pas ignorer !

Le café est sans contredit le compagnon qu'on lui préfère. Peut-être que les nombreuses affinités qu'il partage avec le cacao sont à la source de cette heureuse rencontre des goûts : la culture du cacaoyer et du caféier nécessite les mêmes conditions climatiques et, à peu de choses près, les mêmes méthodes et les mêmes étapes de transformation. La torréfaction étant le procédé qui caractérise leur saveur et leur parfum, les fèves de café et de cacao ont envahi les marchés européens à peu près en même temps, de plus, le café et le cacao sont cotés à la bourse pour éviter que leurs prix fassent parfois l'objet de spéculations.

Plus le café est corsé, plus l'alliage avec le chocolat est heureux : les mokas du Brésil et de l'Éthiopie et le cru prodigieux de la Jamaïque, le « très hors de prix » Blue Mountain, combinent leurs effluves d'une manière qui dépasse l'entendement ! Toutefois, le summum de la délectation se produit lorsque le chocolat s'unit au Java Boengi doté d'une saveur chocolatée naturelle. Une alchimie sans pareille lorsqu'on est amateur de chocolat et de café !

Et que dire de la combinaison d'une pâtisserie au chocolat avec une bonne tasse de café... le vocabulaire finit par manquer !

Les Italiens ont été les premiers à instituer la coutume de la bouchée de chocolat prise avec le café. Le petit rectangle ou le carré de chocolat enveloppé individuellement est encore appelé le « Napolitain ».

Les Français sont très friands du carré de chocolat noir (plus de trois cent cinquante millions annuellement) qu'ils déposent sur la langue et qu'ils inondent d'une bonne lampée caféinée chaude. Une « cochonceté » absolument jubilatoire !

Et voilà que depuis quelques années, un adversaire de taille a fait son apparition sur le marché : le grain de café grillé enrobé de chocolat noir ! Dans leur forme solide respective, cette fois, les deux aliments libèrent des tirets de saveurs perçantes sous le broyage des dents qui percutent les papilles en état d'alerte devant tant d'intensité.

Si vous êtes amateur de vin ou d'alcool, vous serez heureux d'apprendre que certains spécialistes se sont attardés sur la question du mariage possible entre le chocolat et les boissons alcoolisées. Tâche plutôt délicate, car la nature même du chocolat en fait un produit complexe et capricieux qui ne s'harmonise pas d'emblée avec le premier venu. Il ne faut donc pas s'attendre à des miracles.

Le champagne ne s'accorde aucunement avec le chocolat, et les vins blancs liquoreux n'obtiennent pas plus de succès dans l'aventure chocolatée, l'un accentuant l'effet sirupeux et les autres bloquant la propagation des arômes. Un Gewürztraminer alsacien peut toutefois arriver à concilier son essence à celle d'un chocolat noir à l'amertume réservée, de même qu'à des desserts au chocolat au lait garnis de fruits.

Les vins rouges qu'on dit fins et dont la présence des tanins est juste assez concentrée (comme un grand Châteauneuf-du-Pape) ainsi que des vins plus doux comme les muscats et les banyuls peuvent être assortis au chocolat noir.

Les vins très longuement vieillis que sont le porto, le xérès et le madère aux relents de noix se marient fort bien avec le chocolat noir.

Pour se conjuguer harmonieusement au chocolat, les eaux-de-vie comme le cognac, l'armagnac, le whisky ou le calvados doivent avoir séjourné de longues années dans leurs barils, quelles que soient leurs origines : vin, grains ou fruits.

Et la dégustation?

Dans notre exploration gustative du chocolat, on s'aperçoit que celui-ci possède des références gustatives qui voisinent de très près le vocabulaire employé par les sommeliers pour décrire le vin. On parle de saveurs épicées ou légèrement acidulées, d'arômes fruités, de tanins, de texture en bouche, d'homogénéité, etc., un registre de qualificatifs très ressemblant.

À ce chapitre d'ailleurs, il importe de mentionner que certaines chocolateries ont toujours recours à des spécialistes pour le choix de leurs fèves – qui devient de plus en plus limité, cela dit, à cause de la disparition progressive des espèces plus fragiles (comme le criollo) remplacées par des hybrides plus résistants, mais dont les fèves ont moins de caractère et un goût plus uniforme. Toutes les semaines, les « nez » viennent tester les lots de fèves et découvrir leur potentiel. Ils arrivent à les classer en vérifiant les nuances d'amertume, d'acidité, de fruitage, de grillé ou de fumé, d'épicé, etc. Ces évaluations sont fort précieuses pour le chocolatier qui veut concocter les mélanges les plus surprenants, les plus sensuels, les plus persistants, les plus roucoulants ou les plus agressifs pour le palais.

Le meilleur des chocolats ne sera jamais le même pour tous les individus ; le chocolat qu'on adore, celui pour lequel on est prêt à toutes les bassesses, celui qui nous fait flancher, celui qui nous fait craquer, celui qui nous régale, c'est celui-là, le meilleur chocolat !

Les clubs des « mordus du chocolat » !

Les amoureux du chocolat s'affichent et annoncent leurs couleurs sans craindre les regards envieux ! Les clubs de dégustation de chocolat pullulent depuis les vingt dernières années.

Paris a vu naître son Club des croqueurs de chocolat en 1980. Cette association amicale (qui au départ s'appelait le Club des cinglés du chocolat) regroupe les fervents du chocolat qui ont besoin de partager leur passion et de s'y adonner collectivement.

L'organisme est toutefois assez sélect, car le nombre d'adhérents est limité à cent cinquante ; des personnalités aussi réputées que Sonia Ryfiel et Jeanne Bourin en font partie. Tous les deux mois, les Croqueurs se réunissent pour déguster à l'aveuglette, selon une thématique précise, des produits chocolatés : de l'artisanal au commercial en passant par les pâtisseries et les glaces, et j'en passe et des meilleurs ! Comme pour prolonger le plaisir et le sentir autrement que par les papilles, ils notent, comparent et gratifient un « premier prix » qu'ils tambourinent à tout vent dans leur publication, *le Guide des croqueurs de chocolat.*

En Angleterre, *The Chocolate Society* et *The Chocolate Club* publient tout ce qui concerne le sujet et leurs lecteurs peuvent commander une gamme de produits sélectionnés. Différentes régions de France ont leur propre club d'amateurs.

Montréal possède également son Club des mordus de chocolat.

Chapitre 9

Les vertus médicinales du chocolat

Historiquement, les tout premiers produits faits à partir de la poudre de cacao par les Mayas et les Aztèques étaient reconnus et recherchés pour leur effet dynamisant et nourrissant. Les détenteurs du savoir médical de l'époque la prescrivaient pure ou mélangée avec d'autres plantes pour soulager des troubles pulmonaires et certains malaises digestifs associés au foie. Ils savaient aussi que le dépôt graisseux (beurre de cacao) accentuait les vertus hydratantes et cicatrisantes de leurs pommades à appliquer sur des blessures épidermiques légères (coupures, gerçures, égratignures) et connaissaient les propriétés des gelées ou crèmes qui calmaient les morsures d'insectes ou de serpent, les brûlures et même les démangeaisons hémorroïdales.

Les guérisseurs et les sorciers considéraient la poudre de cacao comme un puissant aphrodisiaque et conseillaient fortement à leurs souverains de boire allègrement la boisson chocolatée afin que ceux-ci puissent s'adonner sans défaillir, nuit après nuit, à leurs prouesses sexuelles.

Mais il ne faudrait pas croire que les effets aphrodisiaques du chocolat n'étaient convoités que par les rois. Certains récits mentionnent que les indigènes avaient leurs propres méthodes pour mettre du piquant dans leurs joutes amoureuses en s'enduisant les zones érogènes d'une préparation bouillie de cacao. Cette pratique, dit-on, rendait les baisers plus doux et plus caressants... n'ayant ainsi rien à envier aux acteurs du film *9 semaines 1/2* !

Mais ce n'était pas là la seule utilisation du cacao.

Thomas Gage, un chroniqueur qui a été témoin de la conquête espagnol, a relaté dans ses écrits historiques qu'il avait vu des femmes s'enduire le visage avec la matière grasse du cacao et se frictionner la peau afin d'avoir un teint lisse. Cette habitude esthétique mettait déjà à l'avant-plan l'efficacité cosmétique du beurre de cacao.

Pour illustrer le genre de composition alimentaire qu'on inventait à cette époque, voici la vieille recette d'un philtre d'amour guatémaltèque qui a su traverser le temps :

Philtre d'amour

- Faire chauffer 2 gousses de vanille dans 1 litre de lait pendant 10 minutes.
- Retirer les gousses et les presser pour en extraire tout le suc. (Gratter pour conserver les petites graines.)
- Ajouter 2 c. à soupe de cacao pur et délayer le tout dans 1 tasse d'eau tiède.
- Verser le lait chaud graduellement en remuant.
- Ajouter 2 c. à soupe de miel.
- Ajouter 2 c. à soupe de sucre brun en poudre.
- Continuer à remuer le tout en ajoutant ½ c. à thé de poivre de Cayenne, 1 pincée de sel et un verre de rhum (ou de tequila).
- Le philtre peut se boire chaud ou froid.

La réputation d'excitant sexuel du chocolat n'a pas fait faux bond aux aristocrates de la cour française qui ont vite intégré la consommation du chocolat dans leurs habitudes les plus nobles. Les deux élues du cœur de Louis XV y avaient recours quotidiennement : madame de Pompadour, qui ne semblait pas très portée sur « la chose », buvait un chocolat bien bronzé pour être en mesure de répondre aux faveurs pressantes de son roi ; quant à madame Du Barry, de vingt ans la cadette du roi, sa nature passionnée faisait en sorte qu'elle gavait presque ses amants de la précieuse boisson pour qu'ils puissent être à la hauteur de ses attentes. Quelques années plus tard, sous le règne de Louis XVI, la reine Marie-Antoinette choisissait un chocolatier personnel qui lui créait des concoctions apothicaires pour soigner ses problèmes de santé : un chocolat finement parfumé à la poudre d'orchidée comme fortifiant, à la fleur d'oranger comme calmant et au lait d'amandes douces comme digestif.

À cette époque libertine des grands salons parés de velours et de dorure, toutes les recettes possibles et inimaginables de chocolat convergeaient à satisfaire l'émoustillement des sens et des désirs charnels.

Les activités mondaines et parfois subversives du marquis de Sade étaient agrémentées de chocolat à l'intérieur duquel il faisait incorporer des substances déliant les nœuds les plus serrés de la morale...

Dans les pays germaniques, on ne se sert du cacao qu'à des fins médicinales et on ne le vend que chez l'apothicaire. Ce n'est que pendant le XVIIe siècle que la diffusion du produit est encouragée : le chocolat a la réputation de conserver la santé et d'avoir une influence positive sur la longévité.

Par ailleurs, les affiches publicitaires du Hollandais Van Houten annonçaient en toutes lettres « L'aliment prescrit par le médecin » pour vanter les mérites de son chocolat chaud fait à partir de ses poudres fines.

Des écrits officiels... D'ordre médical !

Aux XVIIe et XVIIIe siècles, on appréciait le chocolat tant pour ses caractéristiques alimentaires que curatives.

Après les ouvrages relatant les témoignages des chroniqueurs (Girolamo Benzoni, Thomas Gage) qui ont assisté à l'incursion espagnole en terre américaine et qui ont été les premiers à décrire les techniques de transformation et les façons d'apprêter la poudre de cacao, les écrits sur le chocolat se sont mis à avoir un angle médical. Car bien avant de devenir une substance synonyme de plaisir, le chocolat était considéré comme un aliment sain et nourrissant.

Les religieuses et les moines en consommaient abondamment, car la boisson les aidait à avoir l'énergie nécessaire pour accomplir leurs tâches quotidiennes malgré les jeûnes auxquels ils devaient s'astreindre régulièrement. La pieuse habitude alimentaire a même lancé tout un débat quant à savoir si le chocolat était un aliment qui brisait le jeûne ou s'il n'était qu'une boisson. En 1569, le pape Pie V a décidé que, mélangé avec de l'eau, le chocolat ne représentait aucun interdit. Cent ans plus tard, la boisson chocolatée se retrouvait à nouveau au cœur de la même polémique. Les sommités cléricales, encore une fois, ont conclu en disant du chocolat qu'il était une boisson nourrissante comme le vin et non un aliment.

C'est d'ailleurs à la demande du cardinal de Lyon, Alphonse Richelieu, qui ne jurait que par le chocolat pour en venir à bout des troubles liés à sa rate et pour tempérer ses élans colériques, qu'en 1643, le docteur René Moreau a écrit Du chocolat. Cette publication réunissait les différents modes de préparation de la boisson chocolatée ainsi que les propriétés médicinales de celles-ci.

D'autres livres ont suivi dans cette même veine en se concentrant davantage sur les effets du chocolat sur l'organisme comme les *Traités nouveaux et curieux du café, du thé et du chocolat*, rédigé en 1671 par Philippe-Sylvestre Dufour. *Le bon usage du thé, du café et du chocolat*, écrit en 1687 par Nicholas de Blegny, est introduit ainsi: «pour la préservation et pour la guérison des maladies. Par Monsieur de Blegny, conseiller, médecin & artiste ordinaire du Roy & de monsieur, & préposé par ordre de sa Majesté à la recherche & vérification des nouvelles découvertes de médecine».

Louis Lemery, dans son *Traité des aliments*, en vantait plus précisément les vertus aphrodisiaques.

Anthelme Brillat-Savarin a certainement été celui qui a répandu les mérites du chocolat de la façon la plus convaincante et convaincue. Dans *La physiologie du goût*, qu'il a écrit en 1826, Brillat-Savarin ne se contente pas simplement de faire l'éloge et de disserter sur les capiteuses possibilités du chocolat, mais il donne une foule de conseils pour bien l'apprêter. Il lui attribuait des propriétés roboratives capables de remettre sur pied l'organisme humain le plus faible et la santé la plus défaillante. Brillat-Savarin avait baptisé son chocolat «le chocolat des affligés»; ce magistrat français fin gastronome, aimait savourer le chocolat sous toutes ses formes et souhaitait que tout le monde l'aime autant que lui.

Les principales qualités qu'on reconnaissait au chocolat et qui semblaient faire une sorte d'unanimité étaient ses propriétés nourrissantes, digestives, stimulantes, aphrodisiaques et son effet placebo remarquable sur certains hypocondriaques. D'autres vertus qu'on lui attribuait sans toutefois être approuvées par le plus grand nombre de spécialistes étaient son efficacité contre la mauvaise haleine, le rhume, la diarrhée, la dysenterie, le choléra, l'embonpoint (parce qu'il coupait ni plus ni moins l'appétit!) ainsi que ses bienfaits sur la clarté de la voix.

Le cacao chez les apothicaires

Forte de ses origines divines et de son indéfectible renommée à travers les siècles, la graine de cacao est devenue une matière convoitée par les apothicaires du XIXe siècle. Intégrée dans des mélanges médicinaux, la poudre brune faisait partie de nombreuses préparations pharmaceutiques dédiées au soulagement ou à la guérison des maux contre lesquels on lui accordait de réels pouvoirs. Elle pouvait aussi servir à camoufler le goût parfois rebutant des autres plantes médicinales.

Avant l'établissement des grandes entreprises chocolatières, les apothicaires broyaient eux-mêmes les fèves de cacao pour fabriquer, évidemment, du chocolat, mais aussi pour les intégrer dans des formules thérapeutiques savamment concoctées. La maison Debauve & Gallais, fondée au tout début du XIXe siècle – et dont la boutique sise à Saint-Germain-des-Prés, à Paris, arbore toujours le décor aménagé en 1819 –, confectionnait des chocolats pharmaceutiques qui sont maintenant passés à l'histoire comme le chocolat tonifiant au salep de Perse (farine extraite du tubercule de certaines orchidées aux propriétés fortifiantes), le chocolat béchique (contre la toux) et pectoral au tapioca des Indes ainsi que le chocolat dynamisant au cachou japonais. Cependant, la célèbre chocolaterie offre toujours ses « pistoles de Marie-Antoinette » à la fleur d'oranger (aux effets calmants) ou au lait d'amandes (pour la digestion).

Pas étonnant non plus que parmi les grands noms chocolatiers actuels, il se trouve des descendants de pharmaciens respectés. Le Français Émile-Justin Menier était le fils d'un pharmacien qui s'était particulièrement distingué pour la qualité de ses poudres médicinales. Lorsqu'il a pris la suite de l'entreprise familiale, Émile-Justin, qui pratiquait le même métier que son père, a délaissé les préparations pharmaceutiques et s'est davantage intéressé aux possibilités commerciales de la poudre de cacao. C'est ainsi que, malgré son savoir médical, il a bifurqué dans l'univers de la chocolaterie. Menier y a laissé une marque très importante.

Le Belge Jean Neuhaus a suivi un parcours similaire. Petit-fils d'un homme qui tenait une confiserie pharmaceutique, il a poursuivi les activités commerciales familiales en renonçant à la production des bonbons aux vertus thérapeutiques et en donnant davantage de place aux confiseries chocolatées. Lui aussi a joué un rôle capital en inventant l'incomparable praline belge.

Jusqu'au XXe siècle, la perception de la population par rapport au chocolat en était une de substance reconstituante, permettant de refaire le plein d'énergie rapidement et à peu de frais, et d'aliment aidant à digérer lorsque siroté après un repas.

Une friandise responsable de mille maux !

Mais voilà que vers le milieu du XXe siècle, le chocolat s'est vu reléguer au rang des aliments à proscrire, lui donnant ainsi une tout autre connotation. En effet, les masses de sucre raffiné, le remplacement du beurre de cacao par des huiles végétales à teneur élevée en gras saturé et les nombreuses composantes chimiques rajoutées par les fabricants dans le chocolat même ou les garnitures, l'ont rendu, à certains égards, carrément nocif pour la santé. C'est de cette manière que le chocolat pointé du doigt comme étant à l'origine des problèmes tels que l'acné et autres problèmes d'épiderme, la constipation, les migraines, les crises de foie, la carie dentaire et l'embonpoint ; le sucre contenu dans les friandises chocolatées en étant davantage responsable. (Très souvent, si une personne est aux prises avec l'un de ces maux à cause d'un désordre alimentaire, le chocolat est rarement le seul et unique responsable ; la quantité et la façon dont on le consomme, ainsi que le contexte général des habitudes de nutrition de la personne importent pour beaucoup.)

Retour aux sources

La fin du XXe siècle fait émerger une volonté à ramener les choses à un niveau plus équitable. En effet, les études effectuées au cours de la dernière décennie tendent à vouloir rétablir la situation en redonnant à César ce qui appartient à César et en faisant les distinctions qui s'imposent. Le chocolat a suffisamment souffert des préjugés et de la mauvaise presse, il doit reprendre ses lettres de noblesse... car il en a : loin d'être nuisible pour la santé, le cacao contient des vertus bénéfiques pour l'organisme.

Peut-être doit-on ce revirement de situation à la percée du chocolat noir sur les marchés actuels et au ras-le-bol des restrictions alimentaires prescrites dans les sempiternelles diètes amaigrissantes ?

La valeur nutritive du chocolat

De prime abord, le chocolat fait partie des aliments ayant des caractéristiques nutritionnelles valables en diététique. Une analyse détaillée sur la composition d'une tablette de chocolat aide à y voir plus clair.

Une tablette de chocolat noir de 100 g comptant 70 % de cacao comprend :

- 525 calories
- 40 g de lipides (beurre de cacao)
- 36 g de glucides (dont 30 g de sucre)
- 14 g de fibres
- 9 g de protéines
- 1 g de sels minéraux, d'oligoéléments (dont 600 mg de potassium, 280 mg de phosphore, 200 mg de magnésium, du fer, du sodium, du cuivre et du fluor) et de vitamines (dont la A1, B1, B2, D et E).

Une tablette de chocolat noir contient aussi des substances dites pharmacodynamiques, parce qu'elles influent à la manière des médicaments. Ce sont la caféine, la théobromine, la phényléthylamine et la sérotonine.

La caféine, on le sait, augmente la résistance à la fatigue, favorise l'activité intellectuelle et accroît la vigilance ; la théobromine agit comme stimulant sur le système nerveux central, facilite le travail musculaire, active le cœur et excite l'appétit. La phényléthylamine, elle, opère en amplifiant l'effet des endorphines produites par le cerveau et amène une stimulation psychologique, voire euphorisante ; enfin, la sérotonine permet de rétablir la perte de sérotine, associée à la dépression, et d'avoir un effet antidépresseur.

Quant à la composition d'une tablette de chocolat au lait, la principale différence réside dans l'apport supplémentaire en calcium (qui se situe aux alentours de 200 mg par tablette de 100 g) dû à la présence du lait et à la plus faible quantité en cacao (qui, ne l'oublions pas, est l'élément le plus profitable du point de vue santé).

Le chocolat blanc, lui, est composé de matières grasses (beurre de cacao) et à près de 60 % de sucre (60 g par tablette de 100 g). Aucune trace de pâte de cacao ! À cause de sa pauvreté nutritive, il peut difficilement être considéré comme un aliment diététique.

Chapitre 10

Vertus au quotidien

Le chocolat noir de bonne qualité (ayant un minimum de 60 % de cacao) peut donc être considéré comme un aliment nutritif et non dommageable pour la santé, à condition, bien sûr, de ne pas en ingurgiter exagérément ! Grignoter un ou deux carrés soit après un des repas de la journée, soit au moment de la collation représente une consommation raisonnable permettant de rassasier le goût de sucré et de profiter des bienfaits tout en évitant de prendre du poids –, car les 525 calories par 100 g sont loin d'être virtuelles !

À part la saveur caractéristique du chocolat noir et sa texture satisfaisante en bouche, il existe plusieurs autres raisons pour lesquelles on peut se laisser tenter...

Tonifiant

Le tableau de la répartition nutritionnelle fait rapidement comprendre la nature roborative du chocolat à haute teneur en cacao (donc à plus faible teneur en sucre) : substance nourrissante, fortifiante, énergisante et stimulante. Les proportions appréciables de glucides et d'acides gras permettent de remplir les besoins caloriques pendant que la caféine et la théobromine produisent une stimulation des systèmes nerveux et cardiotonique. On saisit mieux pourquoi le chocolat a été la denrée de prédilection de toutes les guerres, que ce soit pour aider Napoléon Ier à rester éveillé sur les champs de bataille, ou nourrir Napoléon III dans ses moments de conquête ou encore pour revigorer les soldats des deux grands conflits mondiaux du siècle dernier. On saisit aussi la raison pour laquelle il est inlassablement associé à toutes sortes d'activités nécessitant un déploiement d'énergie physique important, et que les athlètes en ont souvent une certaine quantité sur eux.

(Attention aux chocolats renfermant de fortes doses de sucre, ils provoquent l'effet contraire. Une importante concentration de ce genre de glucides provoque un coup de pompe incroyable ! En effet, une avalanche de sucre concentré oblige le pancréas à sécréter beaucoup d'insuline pour parvenir à le stocker dans le foie. Résultat : la surcharge de travail effectué par le pancréas occasionne une fatigue plus grande que celle que l'on éprouvait avant d'avoir avalé le chocolat.)

Avec de telles caractéristiques, on peut se demander comment il se fait que le chocolat ait été écarté des facteurs possibles liés à l'hyperactivité infantile ? Les résultats d'une analyse de toutes les recherches traitant du lien entre l'hyperactivité et le sucre en arrivent à la conclusion que celui-ci n'engendre pas d'effet marquant sur le comportement des enfants. Quant à l'influence de la caféine, elle serait quatre à cinq fois moins puissante que celle contenue dans une tasse de café. On croit plutôt que la bougeotte des enfants après avoir mangé du chocolat relève davantage de l'excitation provoquée par l'occasion (comme le jour de Pâques, le jour de Noël, le jour d'anniversaire, un rassemblement familial, etc.).

Stimulant intellectuel

La présence conjointe de sels minéraux et de caféine, assurant la régénération au niveau de l'activité intellectuelle est la raison pour laquelle Balzac a adopté le chocolat auquel il doit fort probablement quelques lignes inspirées. Plusieurs de ses contemporains (comme Goethe) s'en remettaient, eux aussi, à la consommation de chocolat chaud et velouté pour pouvoir profiter de la verve d'esprit nocturne.

Digestif

Les graisses de cacao sont des acides gras d'origine végétale non saturée qui se digèrent facilement. Ainsi, une ou deux bouchées de chocolat noir après un repas modéré ne causent pas de préjudices au processus de digestion. (Cependant, il n'est pas recommandé de boire ou de manger du chocolat après un repas des plus copieux car, dans ce cas, il pourrait ralentir la digestion.)

Aphrodisiaque

En ce qui a trait aux propriétés aphrodisiaques, plusieurs s'entendent à dire que l'attisement des ardeurs sexuelles des Aztèques était davantage dû aux épices qu'ils ajoutaient à leur boisson chocolatée. D'autres expliquent plutôt la provenance de l'énergie passionnelle dans les capacités roboratives du chocolat, plus que dans l'émergence d'un sentiment d'excitation comme tel.

Anticholestérolémique

Cette caractéristique risque d'en faire sursauter plus d'un ! Le chocolat noir, qui est spécialement riche en cacao, produit un effet abaissant du taux de cholestérol général en agissant sur le bon cholestérol. Il y parvient par l'intermédiaire de ses molécules lipidiques (beurre de cacao) qui créent une augmentation des HDL (lipides à haute densité, constituants du « bon » cholestérol), ces derniers aidant l'organisme à lutter contre les dépôts de matières grasses sur les parois des artères. Mais là ne s'arrête pas la surprise. Le chocolat noir contient aussi des polyphénols, ceux-là mêmes que l'on retrouve dans le vin rouge, qui constituent un agent protecteur pour les vaisseaux sanguins et qui réduisent les facteurs de risques des maladies cardio-vasculaires.

Bien entendu, ne comptez pas sur des effets semblables avec le chocolat au lait !

Ajoutons aussi, en terminant, que ces affirmations ne font pas l'unanimité dans le milieu médical. Des scientifiques affirment que le beurre de cacao est un gras saturé, donc néfaste pour le cholestérol. Mais que ce sont les phénols, eux seuls, qui interviennent grâce à leur pouvoir antioxydant pour empêcher la formation de dépôts de cholestérol sur les artères et qui aident à diminuer les risques de maladies cardiaques. De futures études viendront certainement d'ici peu éclairer nos lanternes en apportant des précisions sur le sujet.

Antidépresseur

Un des effets les plus agréables lorsqu'on mange du chocolat est la sensation de bien-être. Le chocolat possède en fait plus de trois cents agents chimiques connus, et des chercheurs s'y sont attardés pour examiner les rôles de ces derniers pris isolément ou en interaction.

De récentes études menées, en 1996, à l'Institut des neurosciences de San Diego, ont permis à trois chercheurs d'établir un lien entre le chocolat et la marijuana. Les scientifiques auraient découvert la présence de particules dérivées du cannabis dans la poudre de cacao : les cannabinoïdes. C'est ce qui expliquerait non seulement l'origine du sentiment de bien-être et d'apaisement chez la personne qui mange du chocolat, mais aussi le désir insatiable de ceux qui ne peuvent résister et qui se disent « chocooliques ». Mais au fait, le chocolat est-il une drogue ?

Lors de l'ingestion du chocolat, une molécule produite par le cerveau, l'anandamide, s'apparentant au THC (le tetrahydrocannabinol, substance responsable de l'effet relié au cannabis), est captée par les récepteurs de cannabinoïdes. D'autres composantes permettraient d'en prolonger l'action au moment de la captation par les récepteurs, ce qui justifierait la durée relativement longue de l'effet de contentement que procure le chocolat. L'anandamide (dont l'étymologie du mot nous apprend qu'il veut dire béatitude) intervient au niveau de l'humeur, de la douleur et de l'appétit, mais il ne s'agit pas d'un « high » équivalent à celui que l'on obtient après avoir fumé un joint de marijuana. À titre comparatif, on estime que pour ressentir un emportement similaire, un individu de 150 lb (67,5 kg) devrait se taper quelque 30 lb (13,5 kg) de chocolat !

Les personnes à tendance dépressive ne devraient quand même pas se fier aux seules propriétés antidépressives contenues dans le chocolat noir pour se libérer de leurs angoisses. Il semble que la quantité de phényléthylamine est nettement insuffisante pour dégager un sentiment d'euphorie qui permettrait d'agir efficacement contre les tracas que causent les problèmes d'envergure.

Cependant, un léger vague à l'âme passager peut y trouver une douceur réconfortante et le petit coup de fouet opportun pour secouer ses élans léthargiques.

Malgré la démonstration sérieuse des effets physiologiques du chocolat, on peut difficilement affirmer, sur le plan scientifique, que le chocolat est une drogue ! Et ce, quoi qu'en pensent les accros, éternelles victimes de leurs incontrôlables tentations !

Anti-âge

D'après une étude réalisée par des scientifiques du département d'épidémiologie de l'Université de Harvard – et dont les résultats ont été publiés dans le très sérieux *British Medical Journal* –, le chocolat contribue, d'une façon certaine, à prolonger l'espérance de vie.

Les observations qui ont servi à fonder ce constat ont été effectuées auprès de 7 841 hommes âgés de 60 à 72 ans pendant une période de cinq ans (entre 1988 et 1993). Tous les sujets ne souffraient ni de troubles cardiaques ni de cancer. Plus de la moitié d'entre eux, soit environ 4 500, étaient des consommateurs réguliers de chocolat et de friandises ; les autres n'en mangeaient qu'en de très rares occasions. Pour les besoins de l'étude, les chercheurs ont également dû tenir compte de certaines habitudes de vie des participants telles que le tabagisme et la consommation d'alcool.

Au bout des cinq années, il s'avère que 514 hommes sont décédés ; 267 d'entre eux (soit un pourcentage de 5,9 %) faisaient partie du groupe ayant admis avoir la dent sucrée et 247 (soit 7,5 %) étaient du nombre des 3 300 peu attirés par les sucreries. Prenant ensuite en considération quelques caractéristiques déterminantes de leur style de vie, les scientifiques ont établi que les adeptes du chocolat et des produits sucrés prolongent en moyenne leur vie d'une année.

Comment explique-t-on ce phénomène plutôt surprenant ? Il semble bien que la présence des phénols dans le chocolat en soit la principale responsable. (Les phénols, rappelons-le, sont des antioxydants comparables à ceux que l'on retrouve dans le vin rouge.) Ces antioxydants, dont l'action protectrice du système immunitaire et les effets neutralisateurs du développement des maladies coronariennes sont maintenant très bien connus, se retrouvent en quantité significative dans le chocolat : il y a autant de phénols dans un verre de vin rouge que dans quarante grammes de chocolat !

Les constatations de l'enquête révèlent également qu'une consommation de chocolat propice au prolongement de la durée de la vie correspond à une quantité se situant entre une à trois tablettes par mois. Il y a possibilité de faire accroître les risques de décès lorsque l'absorption dépasse cette limite, mais ils restent encore en deçà de l'espérance de vie des personnes qui s'en privent complètement.

Pourquoi donc éliminer le chocolat de notre régime alimentaire. On a la preuve que, consommé modérément, il prolonge notre passage terrestre et tous les plaisirs qui s'ensuivent !

CHAPITRE 11

Mythes et vérités sur le chocolat

Longtemps soupçonné de provoquer, entre autres, des migraines, de l'acné, de l'hyperactivité infantile, des troubles hépatiques et de constiper, le chocolat fait encore l'objet de ces fausses croyances. Des études sérieuses et approfondies ont d'ailleurs permis de réfuter ces idées préconçues.

Le chocolat et le foie

Il a été démontré scientifiquement, en administrant des doses substantielles de chocolat à des gens sujets aux hépatites, que celui-ci n'avait aucun impact sur le foie. Les propagateurs de l'idée que le chocolat provoque des «crises de foie» devront désormais ravaler leurs paroles.

Le chocolat et les caries

Chez les bons consommateurs de friandises chocolatées, le sucre est davantage la cause numéro un de l'apparition des caries. Le chocolat en lui-même ne représente pas un grand danger comme tel, car il renferme trois anticariogènes: les tanins, le fluor et les phosphates. D'autres indications portent à croire qu'en enduisant les dents, le beurre de cacao les prévient contre la formation de plaque. Cependant, le gros bon sens est encore de rigueur. Une mauvaise hygiène buccale combinée à de trop fréquentes ingestions de chocolat (même de chocolat noir) finit par ouvrir la voie aux caries.

Le chocolat et l'acné

Deux études américaines – l'une réalisée à l'École de médecine de la Pennsylvanie et l'autre à l'Académie navale des États-Unis – ont prouvé que le chocolat n'était pas un agent favorisant le développement ou l'aggravation de l'acné. Qu'ils aient mangé ou non du chocolat, aucun changement évocateur n'a été observé chez tous les participants concernés par des problèmes d'acné.

Selon d'autres recherches, l'acné ne serait carrément pas liée aux habitudes alimentaires

(Sur le plan nutritionnel, certaines denrées consommées à outrance dans plusieurs foyers auraient intérêt à être remplacées. Les boissons gazeuses font partie de cette catégorie : bourrées de sucre et de colorants, dépourvues de valeurs nutritives réelles, additionnées de gaz causant gonflements et aérophagie, elles sont pourtant bues en quantités industrielles dès le plus jeune âge. Des diététistes conseillent d'ailleurs de les troquer contre des boissons chocolatées au lait. Malgré qu'elles soient sucrées, celles-ci contiennent les mêmes valeurs nutritives que le lait et constitueront toujours un choix plus judicieux que les liquides gazéifiés de composition chimique).

Le chocolat et l'embonpoint

Le proverbe qui affirme « La vertu se trouve dans le juste milieu » n'aura jamais été si pertinent! Une consommation excessive amène forcément une prise de poids, surtout si le produit est de moindre qualité et que le sucre apparaît en tête de liste des ingrédients mentionnés sur l'emballage. Mais, encore une fois, les deux croquées de chocolat noir à forte concentration de cacao à la fin du repas ne font pas engraisser, encore moins devenir obèse ; et si vous vous tapez une tablette de 100 g, ne croyez pas que parce qu'il s'agit de chocolat noir vous n'avez rien à craindre... les quelque cinq cents calories ingurgitées doivent bien se loger quelque part...

Michel Montignac, devenu célèbre dans le paysage de la nutrition grâce à sa méthode d'amaigrissement basée sur l'évitement de l'hyperinsulinisme et des aliments à index glycémique élevé, réintègre le chocolat noir à 70 % de cacao dans son plan diététique.

Et le chocolat sans sucre?

Le chocolat dit allégé ou diététique représente une solution acceptable pour les diabétiques, car l'absence de sucre en fait une friandise qui n'a que peu d'incidence sur le taux de glycémie et qui n'a besoin que de très peu d'insuline pour être assimilé. Toutefois, le chocolat sans sucre ne devrait pas constituer une porte de sortie pour les chocophiles à la taille flexible et à la volonté défaillante. La tendance à croire que sa teneur réduite en glucides le rend moins calorifique est une fausse conception, car on doit remplacer le sucre par autre chose !

Effectivement, les chocolatiers utilisent des polyols ou sucres alcools fabriqués à partir de substances recelant des glucides. Dans le cas du chocolat, on les confectionne avec du malt.

Pour une même quantité de sucre, les polyols fournissent une charge énergétique moindre et ont un goût sucré beaucoup moins prononcé, ce qui oblige les fabricants à les employer en plus grande quantité. Au bout du compte, on regagne pratiquement toutes les calories que l'on avait évitées en éliminant le sucre de la recette. Sans compter que, parfois, certains chocolatiers choisissent de compenser le manque de saveur en ajoutant des matières grasses... et nous revoilà donc à la case départ quant au nombre de calories !

De plus, le chocolat diététique ne contient quasiment pas de valeur nutritive et son goût peut en décevoir plus d'un. C'est une gâterie ı'il faut consommer occasionnellement et avec parcimonie; rsqu'une personne diabétique se permet d'en manger, elle doit ɛcessairement effectuer une substitution avec un ou deux autres ments qu'elle prévoyait inclure dans son menu de la journée.

ais le dernier point et non le moindre à considérer est le fait que ıgestion trop régulière de polyols peut amener une kyrielle de oblèmes, notamment aux niveaux gastrique et intestinal. Une ɔnsommation de vingt à cinquante grammes de polyols par jour – ɛrtaines personnes ayant plus de difficulté à absorber les polyols ɛ peuvent excéder une prise de dix grammes par jour – suffit déclencher des symptômes de ballonnements, de diarrhée, de tulences, etc.

ef, le chocolat sans sucre ou diététique peut satisfaire les envies ıocolatées sporadiques d'une classe de gens dont les choix mentaires sont malheureusement restreints, mais ne constitue ɛrtainement pas une solution de remplacement journalière pour s caractères gloutons.

Chapitre 12

Recettes tentantes !

Moment de jubilation des papilles et de contentement suprême pour les palais sensibles à l'effleurement des molécules de cacao sous toutes ses formes : le dessert au chocolat ! À moins de compter parmi les rares chocophobes de la planète, qui peut honnêtement résister à la vue d'un morceau de gâteau au chocolat ? Quelle bouche n'est pas envahie par une vague salivaire au contact d'une mousse au chocolat caressante ou en anticipant le bout d'un fruit dégoulinant de sauce chaude au-dessus du bol à fondue ?

Les desserts au chocolat – du gâteau de notre grand-mère à la pâtisserie raffinée d'un chef réputé – sont autant de tentations qui satisfont les envies de chocolat au gré des humeurs et des occasions. Pour votre plus grand plaisir, nous l'espérons, voici quelques recettes chocolatées qui sauront vous rassasier et vous combler, et ce, aussi bien pour vos repas les plus simples que pour ceux où vous aimeriez vous démarquer.

Barres à l'autrichienne

Donne entre 35 et 40 petites barres

- 3/4 de tasse de beurre
- 3 carrés de chocolat non sucré
- 1 tasse de sucre
- 3 œufs
- 1 tasse de farine
- 1 c. à thé de vanille
- 3/4 de tasse de confiture aux abricots (ou au choix)
- 2 carrés de chocolat à cuisiner mi-amer

Pâte à gâteau :

1. Au bain-marie, faire fondre le chocolat et le beurre. Retirer du feu pour y incorporer le sucre. Laisser tiédir.
2. Ajouter les œufs, un à un, et prendre le temps de bien mélanger entre chacun. Ensuite, ajouter la farine et la vanille.
3. Verser dans un moule rectangulaire, graissé et recouvert de papier ciré.
4. Mettre au four à 325 °F de 15 à 20 minutes. Attention de ne pas trop cuire. Laisser refroidir dans le moule une dizaine de minutes avant de démouler et de faire refroidir complètement sur une grille.
5. Découper le gâteau horizontalement pour obtenir deux étages.

Garniture :

1. Faire chauffer doucement la confiture aux abricots (ou celle de votre choix) et la passer au tamis (de manière à enlever les morceaux durs) avant de l'étendre sur la pâte à gâteau.
2. Recouvrir avec l'autre moitié de gâteau.

Glaçage :

1. Faire fondre partiellement le chocolat au bain-marie. Retirer du feu et remuer jusqu'à ce qu'il soit fondu. Recouvrir le gâteau avec le chocolat fondu.
2. Découper en barres et conserver au réfrigérateur dans un contenant hermétique.

Barres de chocolat maison

Donne 30 barres de chocolat

- 2/3 de tasse de beurre fondu
- 3/4 de tasse de lait concentré
- 1/2 tasse + 2 c. à soupe de beurre
- 225 g de chocolat noir
- 1/3 de tasse d'amandes concassées
- 1/3 de tasse de noix de Grenoble concassées
- 1/3 de tasse de noisettes concassées
- 1/3 de tasses de noix d'acajou (ou de raisins secs)
- 1 1/3 tasse de biscuits au chocolat réduits en miettes

1. Préparer un moule rectangulaire beurré.
2. Incorporer le beurre fondu dans la chapelure de biscuits et déposer dans le moule. Tasser doucement et mettre au réfrigérateur.
3. Pendant ce temps, mettre dans une casserole le lait concentré, le beurre et le chocolat et les faire chauffer à feu doux jusqu'à l'obtention d'une substance lisse.
4. Verser les noix et/ou les fruits secs et mélanger uniformément. Recouvrir la pâte réfrigérée et remettre au froid.

Biscuits aux grains de chocolat

Donne 4 douzaines de biscuits.

- 1/3 de tasse de beurre ramolli
- 1/2 tasse de sucre
- 1/4 de tasse de cassonade tassée
- 1 œuf
- 1 c. à thé de vanille
- 1 tasse de farine
- 1/2 c. à thé de soda
- 1/2 c. à thé de sel
- 1 tasse de grains de chocolat mi-sucré

1. Battre le beurre, le sucre et la cassonade. Ajouter l'œuf et la vanille.
2. Incorporer la farine, le soda et le sel. Finalement, verser les grains de chocolat. Bien mélanger.
3. À l'aide d'une cuillère à thé, disposer la pâte sur une plaque à biscuits non graissée à 2 po (5 cm) de distance.
4. Cuire à 375 °F pendant 8 à 10 minutes.

Bouchées de chocolat « a-rhum-atisées »

- 150 g de chocolat noir
- 2/3 de tasse de beurre
- 1 tasse de farine
- 1 tasse de cassonade
- 1 c. à thé de poudre à pâte
- 2 gros œufs
- 2 c. à soupe de rhum

1. Beurrer un moule carré recouvert ensuite d'un papier sulfurisé et beurré à son tour.
2. Faire fondre le chocolat et le beurre au bain-marie doucement. Mettre de côté.
3. Mélanger la farine et la poudre à pâte.
4. Fouetter les œufs et ajouter la cassonade graduellement. Y ajouter le mélange de chocolat refroidi et le rhum tout en continuant de remuer.
5. Incorporer la farine.
6. Mettre dans le moule et faire cuire pendant environ 30 minutes dans un four préchauffé à 350 °F.
7. Laisser refroidir une dizaine de minutes, puis démouler la pâte cuite et laisser reposer sur une grille.
8. En guise de glaçage, il suffit de faire fondre un autre 150 g de chocolat noir au bain-marie pour en recouvrir le gâteau.
9. Mettre au froid et découper en petites bouchées lorsque le tout est bien figé.

Boules au chocolat Rachel

- 3 tasses de gruau
- 1 1/2 tasse de sucre
- 1 tasse de noix de coco
- 1/2 tasse de beurre
- 3 c. à soupe de cacao en poudre
- 1/2 c. à thé de vanille
- 1/2 tasse de lait

1. Mélanger tous les ingrédients secs.
2. Délayer le beurre dans le mélange.
3. Ajouter le lait et la vanille.
4. Lorsque la pâte est uniformément humidifiée, façonner des boules (d'une grosseur raisonnable pour constituer une bouchée) en roulant la pâte dans le creux des mains.
5. Déposer dans un plat hermétique et conserver dans un endroit frais.

24 carrés au chocolat

- 1 1/2 tasse de farine
- 1/3 de tasse de sucre
- 1/2 tasse + 2 c. à soupe de beurre
- 5 c. à soupe de sirop de maïs
- 150 g de chocolat noir
- 3 œufs
- 1/2 tasse de pacanes (facultatif)

1. Graisser un moule carré et recouvrir d'un papier sulfurisé légèrement beurré.
2. Mélanger la farine et le sucre (et les noix si désiré).
3. Dans un plat, faire fondre le beurre, le sirop et le chocolat en remuant. Retirer du feu et ajouter les œufs en fouettant.
4. Verser ce mélange dans les ingrédients secs en brassant soigneusement avec une cuillère en bois.
5. Mettre dans le moule et laisser cuire pendant 25 minutes dans un four préchauffé à 350 °F.
6. Laisser tiédir pendant une dizaine de minutes avant de démouler sur une grille et de laisser refroidir complètement.

Glaçage :

- 150 g de chocolat noir
- 5 c. à soupe de crème fraîche
- 24 noix

1. Faire fondre le chocolat avec la crème à feu doux en brassant sans arrêt. Enlever du feu et laisser tiédir avant d'étendre sur le gâteau.
2. Couper en 24 portions carrées et garnir avec une noix.

Coupes chocolat fromagé

- 300 g de chocolat noir mi-amer
- 6 c. à soupe d'eau
- zeste râpé de 2 citrons
- 420 g de fromage à la crème bien mou
- 2 c. à soupe de cognac (facultatif)

1. Faire fondre doucement le chocolat au bain-marie. Ajouter l'eau.
2. Retirer et remuer pour que le chocolat soit bien lisse.
3. Laisser refroidir environ 15 minutes.
4. Incorporer le fromage, le zeste de citron (et l'alcool si désiré) au chocolat.
5. Verser dans 8 coupes et décorer avec des amandes effilées ou une feuille de menthe fraîche.

Brownies

- 180 g de chocolat noir
- 1/3 de tasse de beurre
- 2 œufs
- 1/3 de tasse de sucre
- 1/2 tasse de farine
- 1/2 c. à thé de poudre à pâte
- 1 pincée de sel
- 1/3 de tasse de noix hachées

1. Préchauffer le four à 350 °F.
2. Faire fondre le chocolat doucement au bain-marie. Y ajouter le beurre.
3. Mélanger les œufs et le sucre, puis verser le chocolat et le beurre fondus.
4. Incorporer la farine, la poudre à pâte et le sel, et bien mélanger.
5. Ajouter les noix.
6. Graisser et enfariner un moule carré. Verser la pâte chocolatée et mettre au four pendant 30 à 35 minutes.
7. Démouler pendant que le gâteau est tiède et découper. (Glaçage facultatif)

Crème pâtissière au chocolat

- 150 g de chocolat mi-amer
- 2 1/2 tasses de lait
- 1/2 c. à thé de vanille
- 6 jaunes d'œufs
- 2/3 de tasse de sucre
- 2/3 de tasse de farine
- 3 c. à soupe de beurre ramolli

1. Faire fondre le chocolat à feu doux au bain-marie, sans remuer. Mettre de côté.
2. Verser le lait et la vanille dans une casserole dont le fond est assez épais. Porter à ébullition, puis retirer du feu.
3. Battre les jaunes d'œufs et le sucre. Ajouter la farine graduellement et mélanger à la cuillère.
4. Incorporer la moitié du lait chaud et remuer rapidement.
5. Remettre le restant du lait à feu doux et y transvider le mélange.
6. Cuire de 5 à 7 minutes, ou le temps qu'il faut pour que le mélange devienne épais en remuant constamment avec un fouet.
7. Une fois la crème à point, retirer du feu et verser le chocolat fondu (toujours en fouettant), puis le beurre.
8. Déposer la crème pâtissière dans un bol et la recouvrir directement de papier ciré. Laisser refroidir à la température de la pièce.
9. Réfrigérer pour conservation.

Friandises chocolatées au Corn Flakes

- 180 g de chocolat mi-amer
- 1/2 barre de paraffine
- 1 tasse de beurre d'arachide
- 1 tasse de sucre à glacer
- 5 tasses de Corn Flakes

1. Faire fondre doucement le chocolat, la paraffine et le beurre d'arachide.
2. Incorporer le sucre à glacer graduellement.
3. Lorsque tous les ingrédients sont bien fondus, ajouter les céréales et mélanger pour bien recouvrir.
4. Confectionner les bouchées à l'aide d'une cuillère à soupe et les déposer sur une plaque.
5. Mettre à refroidir au réfrigérateur.

Galettes de riz au chocolat

- 2 tasses de capuchons de chocolat mi-sucré
- 2 1/2 tasses de Rice Krispies
- 2 1/2 tasses de guimauves miniatures

1. Faire fondre le chocolat à feu doux et remuer jusqu'à l'obtention d'une consistance bien lisse.
2. Retirer du feu et ajouter les guimauves et les Rice Krispies. Mélanger de manière à ce que tout soit complètement enrobé de chocolat fondu.
3. Déposer le mélange sur un papier ciré et fabriquer un rouleau d'environ 20 po (50 cm) de longueur. Enserrer la pâte dans le papier ciré et mettre au réfrigérateur pendant au moins 1 heure, le temps qu'elle devienne bien ferme.
4. Faire ensuite des tranches de 3/4 de po (2 cm).

Gâteau au chocolat à faible teneur cholestérolémique

- 1 1/2 tasse de farine
- 1 1/2 tasse de sucre
- 3 c. à soupe de cacao en poudre
- 1 c. à thé de soda
- 1/4 de c. à thé de sel
- 1/3 de tasse de margarine fondue
- 1 c. à soupe de vinaigre
- 1 c. à thé de vanille
- 1 tasse d'eau froide

1. Mélanger les ingrédients secs.
2. Mélanger les ingrédients liquides, incluant la margarine fondue.
3. Verser le mélange liquide dans les ingrédients secs et passer au mélangeur.
4. Mettre dans un moule graissé et enfariné.
5. Cuire au four à 350 °F pendant 30 minutes.

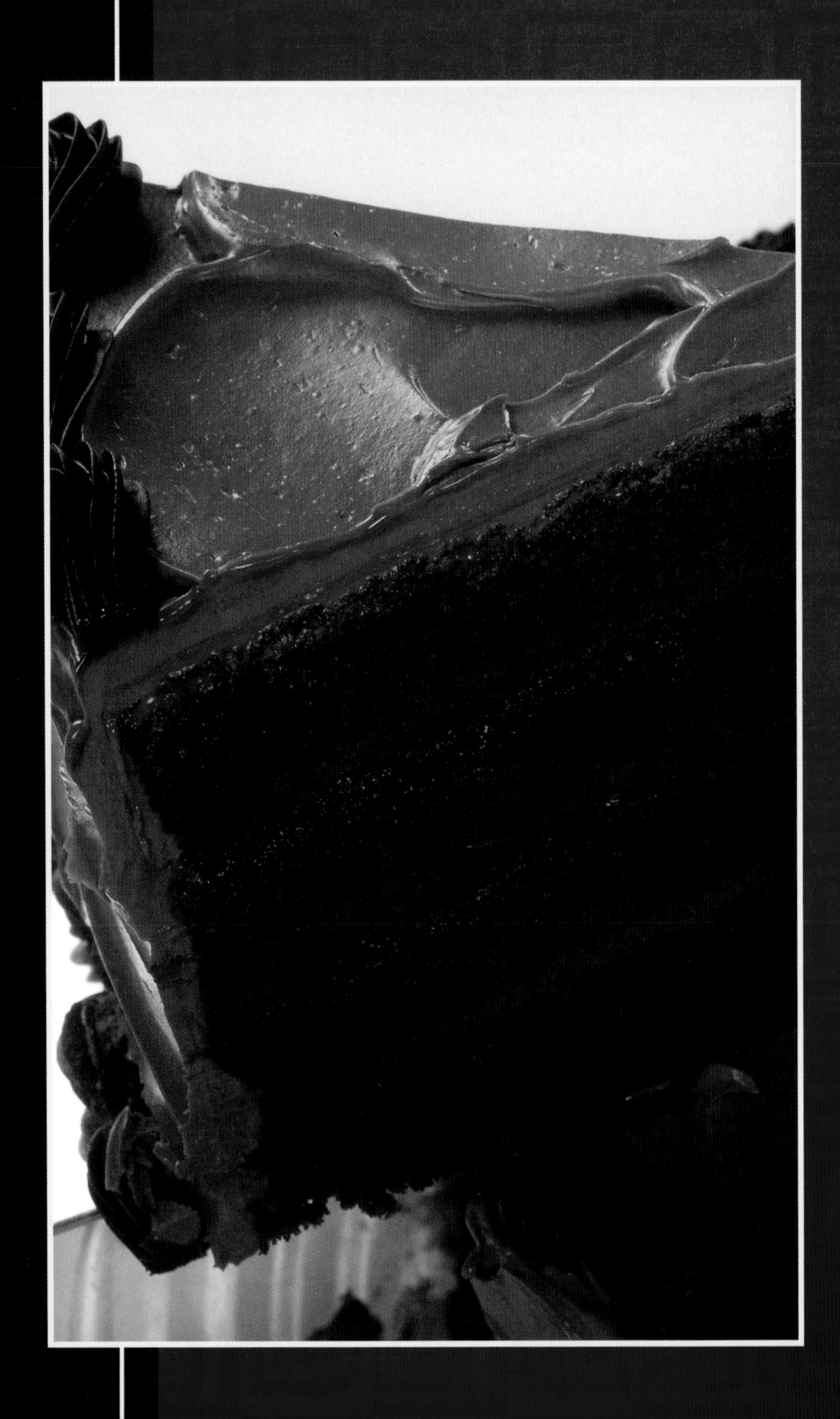

Gâteau au chocolat de grand-maman

- 1/2 tasse de cacao
- 1 c. à thé de bicarbonate de soda
- 1/2 tasse d'eau froide
- 3/4 de tasse de beurre
- 1 c. à thé de vanille
- 1 1/2 de sucre
- 2 œufs
- 2 1/2 tasses de farine
- 1 c. à thé de poudre à pâte
- 1 c. à thé de sel
- 3/4 de tasse de lait

1. Préchauffer le four à 350 °F.
2. Détremper le cacao et le bicarbonate de soda dans l'eau froide jusqu'à l'obtention d'une consistance lisse.
3. Battre en crème le beurre et le sucre, puis ajouter la vanille. Battre les œufs et les incorporer.
4. Tamiser la farine, la poudre à pâte et le sel. Ajouter au premier mélange en alternant avec le lait. Ajouter le cacao.
5. Mélanger tout ensemble.
6. Verser dans deux moules graissés et recouverts de papier ciré.
7. Mettre au four pendant 35 minutes.
8. Démouler et laisser refroidir complètement avant d'appliquer le glaçage (si désiré).

Glaçage au chocolat :

- 4 c. à soupe de beurre
- 4 c. à soupe de crème
- 4 c. à soupe de cacao en poudre
- 1 pincée de sel
- 1 œuf
- 1 c. à thé de vanille
- sucre glace

1. Mélanger tous les ingrédients et ajouter graduellement la quantité de sucre à glacer de façon à obtenir un crémage onctueux et facile à étendre.

Mousse au chocolat

- 200 g de chocolat noir
- 3/4 de tasse de crème fraîche
- 1/4 de tasse de beurre
- 5 œufs
- 1 pincée de sel
- 2 c. à soupe de sucre

1. Briser le chocolat en morceaux et mettre de côté.
2. Porter la crème à ébullition, la verser sur le chocolat et remuer pour que le tout fonde et se mélange à la crème. Ajouter le beurre et bien mélanger à nouveau.
3. Séparer les jaunes d'œufs et les ajouter un à un dans le mélange en brassant avec aplomb entre chacun.
4. Laisser reposer à température ambiante.
5. Prendre les blancs d'œufs, jeter la pincée de sel et les battre pour les faire monter en neige. Ajouter le sucre graduellement.
6. Ensuite, incorporer le tiers des blancs en neige en les faisant bien pénétrer dans le mélange au chocolat. Ajouter les deux autres tiers au fur et à mesure en remuant le tout très soigneusement pour éviter que le tout ne s'affaisse.
7. Déposer dans 6 coupes à dessert et laisser refroidir au réfrigérateur pendant une dizaine d'heures avant de servir.
8. Garnir de chocolat râpé si désiré.

Noireaux à la menthe

- 1 1/3 tasse de farine
- 1 c. à thé de poudre à pâte
- 1/2 c. à thé de sel
- 1 tasse de beurre
- 1 tasse de cacao en poudre
- 2 tasses de sucre
- 4 œufs
- 1 c. à thé de vanille
- 1 c. à thé d'essence de menthe
- 1 tasse de noix

1. Mélanger la farine, la poudre à pâte et le sel. Mettre de côté.
2. Faire fondre le beurre dans une grande casserole et retirer du feu. Ajouter le cacao en remuant.
3. Incorporer le sucre, les œufs, la vanille et l'essence de menthe.
4. Ajouter les ingrédients secs et les noix.
5. Verser le tout dans un moule rectangulaire préalablement graissé et saupoudré de cacao.
6. Faire cuire à 350 °F de 30 à 35 minutes.
7. Laisser refroidir et glacer.

Glaçage :

1. Mettre en crème 1/4 de tasse de beurre.
2. Ajouter graduellement 2 tasses de sucre à glacer en alternant avec 2 c. à soupe de lait.
3. Bien mélanger. Ajouter de l'essence de menthe au goût.

Pattes d'ours

- 4 carrés de chocolat mi-sucré
- 4 c. à soupe de beurre fondu
- 1 tasse de sucre à glacer
- 1 œuf battu
- 1 sac de guimauves miniatures
- 1/2 tasse de noix hachées
- Noix de coco si désiré

1. Mélanger le sucre à glacer avec l'œuf battu, puis les guimauves et les noix.
2. Ajouter le chocolat et le beurre fondus.
3. Déposer sur un papier d'aluminium, (saupoudrer de noix de coco si désiré) et façonner des rouleaux.
4. Laisser refroidir au réfrigérateur et couper en tranches.

Sauce de garniture au chocolat

- 250 g de chocolat noir
- 3/4 de tasse de crème fraîche

1. Concasser le chocolat et le déposer dans un plat.
2. Porter la crème à ébullition et la verser sur le chocolat.
3. Bien remuer jusqu'à ce que le chocolat soit fondu.
4. Ajuster la consistance avec quelques gouttes à la fois d'eau tiède.

Cette sauce peut apprêter les coupes de crème glacée, décorer les profiteroles et se prêter aux fondues au chocolat. Elle peut être servie chaude ou froide.

Pain aux bananes chocolaté

- 1 tasse de farine
- 1/2 tasse de sucre
- 4 c. à soupe de cacao en poudre
- 1 c. à thé de poudre à pâte
- 1 pincée de sel
- 1 œuf
- 1/3 de tasse d'eau tiède
- 1 c. à thé de vanille
- 1 banane bien mûre écrasée

1. Beurrer un moule à pain.
2. Mélanger la farine, la poudre à pâte, le sel, le cacao en poudre et le sucre.
3. Mélanger l'œuf, l'eau, la vanille et la banane écrasée.
4. Verser le mélange à la banane dans les ingrédients secs en deux ou trois fois pour obtenir une pâte homogène.
5. Verser dans le moule et cuire dans un four préchauffé à 350 °F pendant 30 minutes.
6. Laisser refroidir environ 10 minutes avant de démouler sur une grille et laisser reposer.

Glaçage (facultatif) :

- 1/4 de tasse de fromage à la crème
- 1/4 de tasse de sucre à glacer
- 1 c. à soupe de cacao en poudre

1. Ajouter un peu de lait tiède jusqu'à ce que la consistance désirée soit atteinte.
2. Au malaxeur, mélanger le fromage et le sucre à glacer uniformément. Verser le lait et le cacao en poudre, puis recouvrir le gâteau lorsqu'il est complètement refroidi.

Sucre à la crème chocolaté

- 2 c. à soupe de beurre
- 2/3 de tasse de lait évaporé
- 1 2/3 tasse de sucre
- 1/2 c. à thé de sel
- 2 tasses de guimauves miniatures
- 1 1/2 tasse de capuchons de chocolat mi-sucré
- 1 c. à thé de vanille
- 1/2 tasse de noix hachées

1. Mélanger le beurre, le lait, le sucre et le sel. Faire chauffer à feu moyen et porter à ébullition.
2. Laisser mijoter pendant 5 minutes tout en remuant. Retirer du feu.
3. Incorporer les guimauves, le chocolat, la vanille et les noix.
4. Brasser jusqu'à ce que les guimauves soient fondues.
5. Verser dans un moule et laisser refroidir. Couper de petites bouchées et conserver dans un contenant hermétique dans un endroit frais.

Truffes fantaisistes

Donne 24 truffes

- 1/3 de tasse de crème à fouetter
- 2 c. à soupe de beurre
- 2 c. à soupe de sucre
- 1/4 de c. à thé de vanille
- 180 g de chocolat noir contenant au moins 60 % de cacao
- 3/4 de tasse de garniture extérieure: gaufrettes au chocolat émiettées, noix de coco, petits grains décoratifs chocolatés ou multicolores, noix émiettées, etc.

1. Mélanger la crème, le beurre et le sucre à feu doux, porter à ébullition, puis retirer du feu.
2. Ajouter la vanille et le chocolat. Brasser jusqu'à ce que le chocolat soit fondu.
3. Réfrigérer la préparation jusqu'à ce qu'elle soit assez ferme pour être manipulée (au moins 4 heures).
4. Façonner des boules et rouler dans la garniture désirée. Conserver dans un contenant hermétique dans un endroit frais

Si vous désirez faire des truffes enrobées de chocolat, vous n'avez qu'à faire fondre à nouveau 180 g de chocolat noir au bain-marie. Placer le chocolat fondu au-dessus d'une casserole d'eau tiède (pour ne pas qu'il fige). Procéder au trempage des truffes refroidies dans ce chocolat et déposer les truffes sur une plaque recouverte de papier ciré. Réfrigérer pour faire raffermir le chocolat de couverture.

Si vous préférez la recette originale, vous n'avez tout simplement qu'à rouler vos boulettes dans de la poudre de cacao.

Tarte gourmande au chocolat

- 250 g de chocolat
- 1/3 de tasse de crème fraîche
- 1/2 c. à thé d'extrait de vanille
- 2 jaunes d'œufs
- 2 c. à soupe de beurre ramolli

1. Préparer une abaisse dans un moule à tarte, la piquer sur toute la grandeur avec une fourchette en la faisant bien adhérer et précuire pour qu'elle soit bien dorée.
2. Porter la crème à ébullition, ajouter la vanille. Dès les premiers bouillonnements, retirer du feu et verser sur le chocolat préalablement concassé. Bien mélanger jusqu'à ce que le chocolat soit complètement fondu. Incorporer les jaunes d'œufs et le beurre et bien remuer à nouveau pour que le mélange soit homogène.
3. Verser la préparation dans la pâte à tarte déjà cuite. Laisser refroidir.

CHAPITRE 13

Conseils et notions pratiques

- Parce qu'une seule goutte d'eau ou la plus petite inflexion de chaleur à la hausse peut suffire à faire durcir le chocolat ou à former des grumeaux, le bain-marie constitue la façon la plus sûre de faire fondre le chocolat. Cette technique consiste à déposer le chocolat dans un petit plat que l'on dépose ensuite dans une casserole où l'eau est frémissante et non bouillante.

- Il est possible de faire fondre le chocolat au micro-ondes, mais il faut être vigilant et surveiller l'opération pour éviter que le chocolat cuise puisque le tout se déroule en quelques secondes seulement. Il est conseillé d'utiliser un contenant en verre.

- Pour les maniaques de décoration culinaire, les feuilles d'arbres ou de plantes peuvent servir de moules de fabrication à vos garnitures pâtissières. Il suffit de laver et de sécher les feuilles (très important qu'elles ne soient pas toxiques).

Prendre la feuille par la tige et la recouvrir de chocolat fondu à l'aide d'un petit pinceau. La déposer sur un plateau recouvert de papier ciré ou sulfurisé. Une fois que les feuilles sont peintes, il ne reste plus qu'à mettre le plateau au réfrigérateur. Lorsque le chocolat semble bien figé, il suffit de décoller la couche chocolatée délicatement.

- Le chocolat à cuire peut être remplacé par du chocolat noir amer contenant au moins 50 % de cacao. Cette haute teneur en cacao rehausse davantage le goût de la recette concoctée.

- Si une recette requiert du chocolat râpé, on peut le mettre au réfrigérateur pendant une trentaine de minutes avant de le râper, il sera plus facile à manipuler.

- Pour ne pas que vos gâteaux au chocolat perdent de leur saveur, il est préférable de les conserver à température de la pièce et de les recouvrir simplement d'une feuille d'aluminium.

- Il faut savoir que les qualificatifs apparaissant sur les emballages comme « fin », « extra-fin », « supérieur » ou « surfin » veulent tous dire que le malaxage des ingrédients a été suffisamment long pour donner une texture onctueuse et douce.

• Selon la provenance du chocolat, la présence du cacao est exprimée différemment sur l'étiquette : les produits allemands et suisses parlent de masse de cacao, les produits canadiens mentionnent des expressions telles que liqueur de cacao et pâte de cacao. Les produits français le décrivent en terme de pâte de cacao.

• La mention « friandise » sur l'emballage du produit chocolaté nous informe que la quantité de cacao est nettement insuffisante pour porter l'appellation « chocolat ». Et attention, au Canada, la seule source de gras végétal permise dans le chocolat est le beurre de cacao. Alors, si l'ingrédient « huile végétale hydrogénée » apparaît dans la liste des ingrédients, il s'agit d'un produit de qualité discutable.

• Au Canada, les normes sont les suivantes :

- un chocolat ne peut contenir de graisses végétales autres que le beurre de cacao et dans une proportion qui ne doit pas dépasser 5 % ;

- un chocolat noir doit contenir au moins 35 % de solides de cacao ;

- un chocolat noir ne peut excéder 5 % de solides du lait ;

- un chocolat au lait doit contenir au moins 25 % de solides de cacao ;

- un chocolat au lait doit renfermer au moins 12 % de solides du lait ;

- le chocolat blanc doit être composé d'au moins 20 % de beurre de cacao et d'au moins 14 % de solides du lait.

- Sur le continent nord-américain, les fabricants ne sont pas obligés d'inscrire la teneur en cacao du chocolat sur l'emballage. C'est pourquoi les expressions « friandise » et « friandise chocolatée » ainsi que la liste des ingrédients constituent de bons indices pour l'amateur aguerri.

- La lécithine (lécithine de soja dans la plupart des cas) fait partie de la liste des substances que l'on retrouve dans le chocolat. Il s'agit d'un émulsifiant qui sert d'agent de liaison entre les différents corps de composition du chocolat.

- Le prix élevé d'un chocolat n'est pas une garantie de sa bonne qualité : les plus chers ne sont pas nécessairement les meilleurs !

Conclusion

Irrésistible !

Après avoir fureté pendant ces quelques pages dans l'univers du chocolat, la relation gourmande et plus qu'affectueuse, jusqu'à un certain point, qu'entretient l'humanité avec cette denrée aux sensations multiples nous apparaît plus compréhensible, plus palpable. On peut maintenant voir les traces du passé...

Les cinquante tasses de chocolat chaud que Moctezuma enfilait quotidiennement ont certainement donné le ton à cette façon goulue que l'on a de plonger, yeux exorbités et salive jaillissante, dans une boîte de chocolat ou dans une assiette où trône le gâteau d'ébène...

La sueur des esclaves de jadis et le travail acharné des ouvriers des plantations actuelles ne sont certes pas étrangers aux qualités sensuelles que l'on apprécie tant dans le chocolat. L'intransigeance et les rudiments du labeur s'infiltrent dans les nervures de la graine, et les travailleurs teintent le goût du cacao que l'on se met sous la dent d'une manière subtile par leurs empreintes sur les fèves manipulées mille et une fois.

Le génie d'alchimiste de nombreux artisans travaillant la masse de cacao telle une pâte philosophale pour en extraire les textures les plus onctueuses et les plus fines est inscrit dans la variété des formes et des saveurs qui ravissent nos palais.

Tout l'irrésistible, tout le séduisant, tout l'ensorcelant qu'exerce le chocolat s'est perpétué jusqu'à aujourd'hui et continue sa course sans perdre haleine. La pléiade de produits que l'on retrouve sur les tablettes des commerces populaires ou dans les vitrines des fabriques artisanales rejoint tous les types de mangeurs de chocolat et contente tous les appétits, toutes les rages.

ANNEXE 1

Petit lexique

Où que vous soyez, vous pourrez toujours avoir accès à du chocolat en le demandant dans la langue appropriée...

Allemand	schokolade
Anglais	chocolate
Chinois	tchyaokeuli
Danois	chocolade
Espagnol	chocolate
Finlandais	sukiaa
Flamand	chocolade
Grec	sokolata
Italien	cioccolato
Néerlandais	chocolaad
Norvégien	sjokolade
Polonais	zsekolada
Portuguais	chocolate
Russe	chokolade
Servo-croate	cokolada
Suédois	choklad
Turc	çikolata

Annexe 2

Profils des amateurs de chocolat

Dans son livre *Les cinglés du chocolat*, Sandra Boynton dresse une liste de différents portraits d'amateurs de chocolat selon leurs traits de caractère dans lesquels on peut se reconnaître ou pas du tout...

Le chocophage bucolique

Caractère : rêveur, aimable, un peu timide.

Moment favori de la journée : la sieste après le repas du midi.

Saison préférée : l'été.

Vie sociale : aime les réunions de famille.

Couleurs favorites : le jaune et le vert.

Activités de prédilection : flâner, rêvasser.

Choix musical : lyrique.

Rapport avec le chocolat : intime et familier.

Chocolat favori : le chocolat au lait.

Le théobromien distingué

Caractère : affable et directif, secrètement cynique.

Moment favori de la journée : le crépuscule.

Saison préférée : l'hiver.

Vie sociale : aime les débats et les tables rondes.

Couleur favorite : le bleu.

Activités de prédilection : la philosophie et les discussions intellectuelles.

Choix musical : baroque.

Rapport avec le chocolat : boulimique.

Chocolat favori : à croquer ou supérieur.

L'esthète raffiné

Caractère : artistique, intellectuel et solitaire.

Moment favori de la journée : tard le soir.

Saison préférée : l'automne.

Vie sociale : fuit les mondanités.

Couleur favorite : le gris.

Activités de prédilection : la peinture et la lecture.

Choix musical : symphonique.

Rapport avec le chocolat : rituel, mais intense.

Chocolat favori : amer.

Le chocolatre jouisseur

Caractère : lunatique, impulsif et jouisseur.

Moment favori de la journée : début d'après-midi (vers 14 h).

Saison préférée : le printemps.

Vie sociale : aime bien les visites.

Couleurs favorites : le mauve pour le jour et le rouge pour la nuit.

Activités de prédilection : faire la grasse matinée, se baigner, souper.

Choix musical : romantique.

Rapport avec le chocolat : particulièrement affectueux.

Chocolat favori : les bouchées.

Le vanille

Caractère : non déterminé.

Moment favori de la journée : selon le bulletin de météo.

Saison préférée : le printemps.

Vie sociale : nulle.

Couleurs favorites : caca d'oie, vert de gris.

Activité de prédilection : regarder la télévision.

Choix musical : indéterminé.

Rapport avec le chocolat : antipathie naturelle.

Chocolat favori : chocolat blanc.

Annexe 3

20 Bonnes raisons de préférer le chocolat au sexe !

1. On peut se procurer du chocolat n'importe quand !
2. Le chocolat goûte bon quand on l'avale.
3. Le chocolat satisfait même lorsqu'il est mou.
4. On peut conduire en même temps qu'on mange du chocolat.
5. On peut faire durer le plaisir aussi longtemps qu'on veut.
6. On peut manger du chocolat devant sa mère.
7. Si on mord les noix un peu trop fort, le chocolat ne s'en plaint pas.
8. Deux personnes du même sexe peuvent consommer du chocolat ensemble sans craindre de se faire traiter de toutes sortes de noms !
9. Le mot « engagement » ne fait pas peur au chocolat.
10. On peut ranger le chocolat sur notre bureau sans déranger les collègues de travail.

11. On peut demander du chocolat à un étranger sans avoir peur de recevoir une claque en pleine face !

12. Quand on mange du chocolat, on n'est pas pris avec les cheveux dans la bouche.

13. On n'a pas besoin de faire semblant d'aimer le chocolat !

14. On ne tombe pas enceinte avec le chocolat.

15. On peut manger du chocolat à n'importe quel moment du mois.

16. Le bon chocolat est facilement trouvable.

17. On peut se procurer et goûter à autant de sortes de chocolats qu'on désire.

18. On n'est jamais trop jeune ou trop vieux pour manger du chocolat.

19. Manger du chocolat pendant la nuit ne dérange pas les voisins.

20. La grosseur du chocolat n'a pas d'importance !

ANNEXE 4

Ce qu'ils en ont dit

« La fève de cacao est un phénomène que la nature n'a pas répété. On n'a jamais trouvé autant de qualités réunies dans un si petit fruit. »

Alexandre von Humbolt (1769-1859)

« Je ne puis travailler de trois heures à huit heures du soir sans dételer. Aussi, vers cinq heures, ai-je décidé de m'accorder une "pause-chocolat". Sachant que mes chères tablettes, bien foncées, bien croquantes, contiennent du fer et du magnésium, je m'en octroie trois ou quatre morceaux, aussi bien pour mon plaisir que ma santé. »

Jeanne Bourin, écrivaine française

« Le chocolat me permet de maintenir plus longtemps mes facultés cérébrales. »

Honoré de Balzac, écrivain français (1799-1850)

« Quiconque a bu une tasse de chocolat résiste à une journée de voyage. »

Wolfgang Goethe, écrivain allemand (1749-1832)

« Parmi toutes les bonnes et belles choses de Turin, je n'oublierai jamais l'excellente boisson au chocolat servie dans tous les cafés. »

Alexandre Dumas, écrivain et dramaturge français (1824-1895)

«Frippono, Frippono, je veux une patate en chocolat!»
(des dizaines de fois d'affilée...)

Paillasson, personnage de *La Ribouldingue* interprété par Jean-Louis Millette

«Quand vous mangez des Smarties, gardez-vous les rouges pour la fin?»

Une célèbre campagne publicitaire!

Et que dire du mystère du caramel dans la Caramilk, qui a longtemps été comparé au non moins célèbre mystérieux sourire de la Joconde?

Et de la Cherry Blossom que l'on ne peut partager?

Même Joe Dassin a fait honneur au chocolat dans une chanson qu'avait écrite pour lui Pierre Delanoé et que tout le monde fredonnait dans les années 70 (voir p. 9).

Annexe 5

Le chocolat de Pâques

S'il est une combinaison indissociable, c'est bien celle du chocolat avec la fête de Pâques, et elle ne date pas d'hier, aussi est-il difficile de ne pas en glisser quelques mots.

La tradition d'offrir du chocolat en forme d'œufs a des origines aussi lointaines que le VIIIe siècle ; une histoire de cloches d'église qui, observant un silence de mort, prennent la route pour Rome lorsque arrive la Semaine sainte. Le jour de Pâques, les cloches reviennent dans leurs villes et villages respectifs parsemant champs et jardins d'innombrables œufs.

Quelques centaines d'années plus tard, vers le XVe siècle, est née la course aux œufs de Pâques. Les gens conservaient les œufs que les poules avaient pondus pendant le carême – période de restrictions alimentaires respectées avec rigueur à cette époque – et les récupéraient en les décorant aux couleurs du printemps pour ensuite les déposer dans les environs. Au petit matin, les enfants excités partaient à la recherche du plus grand nombre d'œufs possible ! (La décoration des œufs est par ailleurs devenue un art à part entière dont les techniques de plus en plus sophistiquées donnent lieu à des résultats fort étonnants. Les Ukrainiens ont institué le genre et sont passés maîtres dans l'art décoratif des œufs qu'ils nomment *pysansky*.)

Curieusement, on ne sait d'où vient le phénomène du lapin qui pond l'œuf de Pâques ! Quoi qu'il en soit, l'œuf est le symbole universel de la fête de Pâques, jour de la résurrection du Christ, de l'origine de la vie, de la fécondité et du renouveau.

La coutume d'offrir des œufs en chocolat serait d'origine commerciale. Après les privations imposées par le carême, les gens ont trouvé intéressante l'idée de souligner la fin de cette quarantaine

en se sucrant le bec. Au XIXe siècle, les méthodes de tempérage étant de plus en plus précises, on en est venu graduellement à utiliser des moules pour forger le chocolat sous les traits de lapin, de poisson, de poule ou de cloche.

De nos jours, les formes varient au rythme des modes et des courants commerciaux : personnages de dessins animés, animaux de basse-cour, instruments de musique, jouets, etc. Toutefois, l'œuf est encore très populaire qu'il soit fourré de crémage fondant ou qu'il serve de contenant renfermant d'autres petits chocolats.

La Saint-Valentin est une autre occasion où le chocolat est de mise, probablement que la réputation aphrodisiaque de ce dernier a contribué à en faire un cadeau plus qu'approprié à la fête des amoureux !